ID674048

De arme Svoboda

Van János Székely verscheen eveneens
bij uitgeverij Anthos

Verleiding

János Székely

De arme Svoboda

Vertaald door
Otto Biersma en
Paul Bruijn

Anthos | Amsterdam

Deze uitgave is mede tot stand gekomen dankzij
een subsidie van het Goethe-Institut

De vertalers ontvingen voor deze vertaling
een werkbeurs van de Stichting Fonds voor de Letteren

ISBN 978 90 414 1367 3
Oorspronkelijke titel *You Can't Do That to Svoboda*
Oorspronkelijke uitgever Schirmer Graf Verlag,
van de Engelse editie: The Dial Press, New York
Omslagontwerp Marry van Baar
Omslagillustratie Portrait of a Young Lady, 1867 (oil on canvas),
Shannon, Sir James Jebusa (1862-1923) / Private Collection /
The Bridgeman Art Library

Verspreiding voor België:
Veen Bosch & Keuning uitgevers n.v., Wommelgem

Inhoud

1
.

Een gelukkig mens

Svoboda* was de kruier van het stadje. Als er een eenduidige wet is die luidt dat vraag en aanbod op elkaar afgestemd zijn, dan was zijn bestaan een uitzondering op die regel. Het station werd dagelijks slechts door twee treinen aangedaan, twee dampende, met roet overdekte, overjarige en trage boemeltjes die voornamelijk dienden om om zes uur veertig de forenzen naar de plaatselijke fabriek te vervoeren en ze om zeven uur tien weer huiswaarts te brengen, uiteraard zonder veel bagage. Verder waren er nauwelijks passagiers. Heel soms ging er een ouder echtpaar naar de grote stad om hun kinderen te bezoeken, of kwam er een jong stel langs bij hun ouders. Maar voor een kruier viel er amper eer aan zulke mensen te behalen, aangezien ze meestal niet veel meer bij zich hadden dan een papieren zak met wat cadeautjes. Toeristen en stiekeme liefdespaar-

---

* Svoboda is Tsjechisch voor 'vrijheid'. In Bohemen en Moravië, die lang onderdrukt zijn geweest, komt de naam net zoveel voor als 'Jansen' bij ons.

tjes boden al evenmin veel perspectief. De toeristen hadden een rugzak bij zich en de liefdespaartjes hadden niet echt behoefte aan een kruier voor twee stel nachtgoed en scheergerei. Alleen teleurgestelde handelsreizigers die in levendiger plaatsjes geen succes hadden gehad deden de stad weleens aan met een koffer vol proefmonsters. Dat waren de klanten waar Svoboda het van moest hebben.

Desondanks bleef hij bijna een kwarteeuw kruier. De enige verklaring voor dit fenomeen was zijn ongelooflijke domheid. Hij was een plaatselijke attractie. De inwoners vonden het vermakelijk om bezoekers te laten zien hoe achterlijk hij was, waarbij ze het effect met bijna vaderlijke trots aanschouwden. En inderdaad, hij was niet bepaald een alledaagse verschijning. Hij was een grote, onhandige lomperik, ruim een meter tachtig lang en zo sterk als een beer, maar zijn kleine, babyblauwe ogen keken de wereld in met een onschuld alsof hij nog niet eens de schoolgaande leeftijd had bereikt. Ze lagen diep in zijn verweerde gezicht, alsof twee musjes hadden besloten om in een sombere, weinig uitnodigende rotswand hun nest te bouwen. Onder de hemelsblauwe ogen liepen zijn jukbeenderen in een vrijwel rechte hoek over in zijn indrukwekkende kin. Zijn vierkante schedel was bedekt met een vlammend rode haardos die veel weg had van ruig struikgewas. Omdat hij zijn haar niet durfde toe te vertrouwen aan een kapper, snoeide hij het eens in de drie maanden zelf met de schaar van de stationschef.

Hij heette eigenlijk helemaal geen Svoboda. Iemand had hem jaren eerder eens voor de grap zo genoemd toen er in de streek een moordenaar die zo heette werd gezocht. Hij was de naam blijven gebruiken, wat iedereen zag als een extra bewijs voor zijn achterlijkheid.

Hij was geboren in de donkerste uithoek van Slowakije, waar de boeren alleen maar aardappels eten en waar tuberculose en krop gedijen als vaste planten in voedselrijke aarde. Hij was een bastaardkind dat ergens in een wei was verwekt en hij had zijn vader nooit gekend, hoewel zijn moeder hem regelmatig verzekerde dat zijn vader hen nog weleens zou komen opzoeken. Hij was geen slecht mens, zei ze altijd, maar hij was vlotter op de rivier en de stroming voerde hem zo ver weg. Svoboda aanbad zijn moeder, hij noemde haar 'mammie' met zijn vette, Slowaakse accent. Hij had een hele voorraad verhalen over 'mammie'. Als hij ze vertelde, viel er doorgaans geen touw aan vast te knopen, maar ze ontroerden de reus zichtbaar.

'Arme mammie,' zei hij dan. 'Als geen tocht was geweest, ze nu nog zou leven.'

Zijn angst voor tocht was een vaste bron van vermaak. Als de stationschef weg was, zetten de verveelde werknemers weleens alle ramen en deuren open om Svoboda weg te zien rennen.

Svoboda was veertien toen 'mammie' overleed. Dat was in 1905. Gelukkige tijden, volgens de nostalgische kroniekschrijvers van de Habsburgse monarchie. Maar kennelijk ontbrak het de lagere klassen aan een heldere kijk, want zij leken nimmer te beseffen hoe gezegend ze waren. Een jaar na de dood van 'mammie', in die prachtige periode van vrede en voorspoed, stierf het weeskind bijna de hongerdood. Houthakkers vonden hem in het bos, hij zat onder het bloed vanwege een afranseling van een woedende boer die hem had betrapt toen hij een paar abrikozen probeerde te stelen. Een welwillende boer nam hem onder zijn hoede en liet hem tien uur per dag werken voor een luizig loon en een slaapplaats in de schuur bij de koeien.

Toen Svoboda de dienstplichtige leeftijd had bereikt, kreeg de overheid voor het eerst belangstelling voor hem. Hij kreeg een geweer en er werd voor zijn lichamelijk welzijn gezorgd in de hoop dat hij, als de gelegenheid zich voordeed, kon uitgroeien tot een bruikbare moordmachine. De investering werd beloond. Twee jaar later brak de oorlog uit en ontstond er grote vraag naar dwazen. Svoboda kreeg een hele lading onderscheidingen, maar in 1915 werd hij geveld door een granaat. Hij werd afgevoerd met achttien granaatscherven in zijn lichaam. Toen de meeste daarvan waren verwijderd en de wonden min of meer waren genezen, werd hij naar een militair herstellingsoord in het stadje gestuurd.

Voor het eerst in zijn leven had Svoboda niets omhanden, en hij verveelde zich stierlijk. Hij ging naar het station omdat hij het leuk vond om naar de treinen te kijken, waarin hij voor het eerst had gezeten op weg naar het front. Op een dag zat hij op het perron toen een pas aangekomen gewonde militair hem vroeg of hij zijn bagage kon dragen. Svoboda was hem graag ter wille en als beloning voor de moeite kreeg hij een kroon. De dagen daarna bood hij zijn diensten aan arriverende passagiers aan. En zo werd Svoboda de kruier van het stadje.

Jaren gingen voorbij. De massaslachting kwam tot een tijdelijk einde. Het militair herstellingsoord sloot zijn deuren en het kleine stadje had geen behoefte aan een kruier. Desondanks bleef Svoboda op het station. Waarom? Omdat hij er nu eenmaal was. Als de trein waarmee hij was gekomen ergens anders was gestopt, was hij ongetwijfeld daar gebleven.

Hij was er en hij bleef er. En omdat een mens moet eten, scharrelde hij op de een of andere manier zijn kostje bij elkaar. Zijn domheid kwam hem goed van pas. Iemand met ook maar enig verstand zou er al zijn energie in hebben gestoken de huur bij elkaar te schrapen. Svoboda had geen onderdak nodig, dus hoefde hij zich over de huur geen zorgen te maken. Toen het herstellingsoord sloot, verhuisde hij zijn koffer naar het bagagedepot, en daar bewaarde hij al zijn aardse bezittingen. Hij sliep in de wachtkamer. Elke avond als de trein van zeven uur tien was vertrokken en de stationsverlichting uitging, spreidde Svoboda vers stro uit op de vloer en ging hij slapen. Hij sliep zo vast dat hij al die twintig jaar niet één keer wakker werd van de nachttrein naar Praag. Tegen de tijd dat de forenzen met de trein van zes uur veertig aankwamen, had hij de ruimte weer op orde gebracht. Overigens gebruikten de reizigers de wachtkamer alleen als het echt beestenweer was, want zijn lichaamsgeur was zo doordringend dat die zelfs 's zomers, als de deur de hele dag openstond, nooit helemaal verdween.

Rekeningen van kleermakers waren voor Svoboda ook een onbekend fenomeen. De kleren die hij voor het eerst aantrok waren tien of vijftien jaar eerder al betaald. Niet dat hij ze voor niets kreeg. Zeker niet! De inwoners van het stadje deden niet aan zulke flauwekul. Svoboda werkte hard voor zijn garderobe. Als er ergens een huis aan een flinke schoonmaakbeurt toe was, moest het dienstmeisje zijn hulp inroepen. In de loop der tijd kreeg hij de kunst van het kleden kloppen, vloeren schrobben en insecten verdelgen onder de knie; de laatste jaren had hij zelfs geleerd hoe hij in zijn eentje gordijnen moest loshalen. Hij hakte ook aanmaakhout en deed klusjes die de kracht van het dienstmeisje te boven gingen.

Zijn beloning bestond naast voedsel uit oude schoenen, een versleten hemd en wat ondergoed. Soms kreeg hij een afgedragen pak of een overjas die op het punt stond om uit elkaar te vallen. Deze kostbare artikelen moesten met meerdere dagen werk worden verdiend, want zelfs het oudste kledingstuk werd door de inwoners hoger aangeslagen dan een dag werk van Svoboda. Als er geen oude kleren waren, stopte de heer des huizes hem wat kleingeld toe, wat Svoboda met een opgewekt 'dank wel' in ontvangst nam. Hoewel hij de muntjes vastklemde alsof zijn zielenheil ervan afhing, wachtte hij beleefd met tellen tot zijn werkgever uit het zicht was. De spoorwegbeambten stuurden hem soms om een boodschap en als hun loon het aan het begin van de maand toeliet, gaven ze hem een kleine fooi. Svoboda was iedereen graag van dienst en bedankte zelfs voor de kleinste gift met een erkentelijke grijns.

De mensen behandelden hem als een groot, goedmoedig dier, maar dat leek Svoboda niet te deren. Hij was altijd goedgemutst en zielstevreden met zijn bestaan. Vaak blijkt dat intelligentie een sterk overgewaardeerde eigenschap is. Want in een tijd waarin duizenden intelligente mensen vergif, gas en handvuurwapens als enige uitweg uit hun financiële perikelen zagen, redde de onnozele Svoboda zich prima. Hij was van mening dat hij alles had wat een mens zich kon wensen.

Hij had zelfs een geliefde – en denk nu niet meteen dat ze een niksnut en een slons was. Vreemd genoeg beschikte de vrouw over een eigen inkomen en een eigen huis. Nu was dat slechts een vervallen schuur naast de vuilnisbelt, maar het was een huis en het was helemaal van haar. Ze had het geërfd van haar overleden echtgenoot. Oorspronkelijk hadden er ook een boerderij en een paar hectare bos bij gehoord, maar de man was een dronkaard geweest en die bezittingen waren opgegaan aan drank. Hij was gestorven aan een delirium tremens, met het vervallen krot als enig overgebleven bezit.

Vaak als hij weer eens ladderzat thuiskwam, voorspelde zijn deugdzame echtgenote dat ze nog eens brodeloos op de vuilnisbelt zou achterblijven. De belt had deze harde woorden kennelijk als een uitdaging opgevat en aangetoond dat je, in tegenstelling tot wat iedereen denkt, ook op een vuilnisbelt aan de kost kunt komen. Om de twee, drie maanden kwamen er een paar mannen uit de stad om lompen, glas, metaal, hout en rubber op de belt te verzamelen. De weduwe kwam erachter dat die spullen verkocht konden worden aan opkopers in de industriestad. Toen haar man haar zonder een cent achterliet, besloot ze te profiteren van deze nabijgelegen goudmijn. De volgende keer dat de voddenrapers kwamen vonden ze niets van waarde; al het verkoopbare materiaal lag keurig gesorteerd in de achtertuin van de weduwe, klaar voor transport. Eerst waren ze woedend, maar toen ze inzagen dat de vrouw net zoveel recht als zij op de spullen had, kwamen ze al snel tot een akkoord.

De weduwe woonde dus bij de vuilnisbelt. Als een grote opgeblazen kip scharrelde ze de hele dag tussen het afval. Maar 's avonds stond ze schoongeboend klaar om Svoboda te verwelkomen met een smakelijk maal. Ze was een stevige, donkere vrouw van een jaar of veertig, en ze aanbad Svoboda. Het is moeilijk te zeggen of ze van Svoboda zelf hield of alleen van zijn stoere postuur. In elk geval was ze dol op de roodharige reus. Volgens de inwoners van de stad hield ze hem scherp in de gaten en kreeg hij er vreselijk van langs als ze hem met een andere vrouw zag. Svoboda werd daar eindeloos mee gepest.

'Waarom trouw je niet met dat mens?' vroegen ze weleens. 'Dan heb je een dak boven je hoofd.'

'Klopt,' antwoordde Svoboda dan trots, zonder verdere uitleg.

Maar hij had een goede reden om niet te trouwen. Hij wilde zijn geld voor zichzelf houden. Ja, Svoboda had geld op de bank staan. Driehonderdachttien sokol, bij de Algemene Spaarbank. Mensen die het goed met hem voorhadden verzekerden hem dat zijn vrouw er zonder zijn toestemming geen cent van af kon halen. Maar Svoboda hield voet bij stuk. Hij haalde regelmatig het trieste voorbeeld aan van een machinist op de hoofdspoorlijn die vierhonderdtwintig sokol bij elkaar had gespaard en het allemaal kwijtraakte toen zijn vrouw ziek werd.

'Voor liefje ik hoef niet te betalen, voor vrouw wel. Moet van wet.'

Een niet bepaald nobele opvatting. Maar het had Svoboda vijfentwintig jaar gekost om zijn driehonderdachttien sokol te vergaren. Sommige mensen schrijven complete bibliotheken bij elkaar, anderen zetten enorme organisaties op als hun levenswerk; Svoboda's levenswerk lag besloten in die driehonderdachttien sokol. Iedereen bewondert Leo Tolstoj, van wie ook wordt gezegd dat hij zijn levenswerk belangrijker vond dan zijn huiselijk geluk. Waarom zouden we Svoboda's gedachtegang dan afkeuren?

Maar Svoboda hield op zijn manier wel degelijk van het mens, want hij kwam dan misschien grijze cellen tekort, hij had ontegenzeggelijk een goed hart. Als hij 's avonds in het donkere station op zijn fluit de eenvoudige deuntjes speelde die hij thuis van 'mammie' had geleerd, kreeg hij tranen in zijn ogen. Hij was muzikaal. Als hij een melodie één keer had gehoord, kon hij deze meteen naspelen op zijn primitieve, zelfgemaakte fluit waarvan de warme klanken net zozeer bij de zomeravonden in het stadje hoorden als het getjirp van de krekels. Hij speelde altijd dezelfde Slavische deuntjes, zwaar en weemoedig; je hoorde er de armoede in doorklinken. Alleen, gehurkt onder de sterrenhemel, speelde hij uren achtereen.

Zo zag zijn leven er bijna een kwarteeuw uit en zo zou het zijn doorgegaan tot zijn dood, als hij niet plotseling was gepromoveerd tot politiek moordenaar.

2
.

Het stadje

In de lente van 1939, toen het Duitse leger Tsjecho-Slowakije 'veroverde' zonder een schot te lossen, verscheen in de pers een bericht over een moordaanslag op Hitler. Het vermeende complot was gesmeed in een stadje in Bohemen. Op 15 maart, toen de Führer aan zijn gedenkwaardige reis naar Praag begon, werden er onder een spoorbrug in de buurt van het stadje explosieven aangebracht, overduidelijk met als doel om de trein van de dictator op te blazen, zo luidde tenminste de officiële versie.

Het stadje in kwestie paste met gemak in zijn geheel in een New Yorkse wolkenkrabber. Het had hooguit vier- tot vijfduizend inwoners – hoofdzakelijk ouderen – en het lag op zo'n twintig kilometer van een belangrijk industriecentrum, waar de oudste en bekendste porseleinfabriek in Bohemen was gevestigd. De oprichter van de porseleinfabriek liet bijna honderdtachtig jaar geleden het eerste huis van het stadje bouwen. Volgens zeggen was hij een oude, excentrieke man die zich op zestigjarige leeftijd terugtrok uit het openbare leven, de fabriek overdroeg aan zijn zoon en zich in het heuvelland overgaf aan zijn overpeinzingen. Al snel werd zijn voorbeeld gevolgd door oudere medewerkers die van hun spaargeld een goedkoop huisje lieten bouwen op de glooiende hellingen, tussen de geurige dennenbomen en zilverkleurige berken.

Na verloop van tijd werd het meer regel dan uitzondering dat oude, uitgewerkte arbeiders van de porseleinfabriek zich in het nieuwe stadje vestigden omdat het leven er zowel goedkoper als gezonder was dan in de bedompte stad. Kort daarna volgden andere echtparen – gepensioneerde ambtenaren, winkeliers, ambachtslieden en dergelijke –, mensen met een beperkt inkomen die hun zuurverdiende geld opzij hadden gezet om hun levensavond te kunnen doorbrengen in een landelijke omgeving.

Honderdtachtig jaar is een hele tijd. Veel dingen veranderden. Landen gingen over in andere handen, de porseleinfabriek werd onderdeel van een groter bedrijf. Maar de middenklasse bleef de droom najagen van een rustige oude dag in de heuvels buiten de stad.

Voordat ze naar het kleine plaatsje verhuisden, droegen de meeste stedelingen hun bedrijfje of ambacht over aan hun zoons; als ze al dochters hadden, waren die gewoonlijk intussen allang getrouwd. De oude mannetjes drentelden nog een paar jaar over de kronkelende klinkerstraatjes tot ze op een dag, alsof ze het nietsdoen moe waren, discreet van hun huisje naar de begraafplaats op de heuvel verhuisden.

Honderdtachtig jaar lang was het een stadje waar vrijwel niets gebeurde. Alleen op zondag zorgden enkele verdwaalde wandelaars voor wat leven op straat; maar op die dag gingen de inwoners zelden de straat op, omdat de meeste niets moesten hebben van 'vreemdelingen'. De belangrijkste verkeersader van het stadje was de Hoofdstraat, waar de huizen van de meest welvarende en aanzienlijke inwoners stonden. Hier bevonden zich ook de betere winkels, waaronder de chique banketbakker Biedermeyer, waar de wat vermeteler oude dames zich 's middags te buiten gingen aan een kopje koffie, rijkelijk voorzien van slagroom.

Het Masaryk-plein was het centrum van het stadje, compleet met gemeentehuis, kerk, politiebureau, postkantoor en de enige herberg. Het hotel met twee bouwlagen was pas zestig jaar eerder gebouwd en daarmee het modernste gebouw van het plaatsje. Om onduidelijke redenen had de eerste eigenaar het 'Gods Oog' genoemd. Slechts weinig gasten maakten gebruik van de gelegenheid. De enige vaste bewoner was een gepensioneerde kolonel met één arm. Alle andere kamers stonden van maandag tot en met vrijdag leeg. In het weekend overnachtten er toeristen en stiekeme liefdespaartjes.

Het café op de begane grond was de ontmoetingsplaats van de 'notabelen' en de echte inkomstenbron van het etablissement. Hier dronken de welgestelde oudere heren 's middags hun koffie met een ruime hoeveelheid slagroom, een klontje boter en een plak van het ongeëvenaarde luchtige Boheemse koffiegebak. Op zachte zomeravonden haalden de wat doortastender oude dames hier hun echtgenoten op en wandelden ze van het Masaryk-plein naar het eind van de Hoofdstraat en weer terug voordat ze zich aan het avondmaal zetten.

Maar deze genoegens waren in de winter of bij slecht weer niet beschikbaar. Dan gingen de oude mensen op bezoek bij hun buren. De vrouwen praatten bij hun borduurwerkje en de oude mannen kaartten of praatten gewichtig over de situatie in de wereld terwijl ze hun pijp rookten – als ze tenminste nog mochten roken van de dokter. Zelfs dat werd als frivool vermaak gezien. Meestal zaten ze de lange winteravonden stilletjes te mokken en hun stijve ledematen te wrijven. Af en toe overleed er iemand, meestal door ouderdom. Maar zelfs de oudste inwoners konden zich niet heugen dat er verder ooit iets gebeurde.

Honderdtachtig jaar lang was het gewoon een ingeslapen stadje. Maar in maart 1939 vond er een plotselinge en rampzalige verandering plaats.

3

.

De 15de maart

Het was vreselijk weer op 14 maart. De lente liet het volkomen afweten. Doorgaans konden de inwoners rond deze tijd al op het terras in het zonnetje zitten; dit jaar hield het koude weer maar aan. Het halve stadje lag verkouden in bed, gehuld in het aroma van kruidenthee die ze van 's ochtends tot 's avonds dronken. Het sneeuwde al vijf dagen en de velden waren bedekt onder opgewaaide sneeuwhopen. In de nacht van de 14de woedde er vanuit de heuvels een zware storm. 's Ochtends was van de helft van de winkels het uithangbord weggewaaid en in de omliggende bossen waren tientallen bomen ontworteld.

Het café bleef die dag leeg. Zelfs de eenarmige kolonel bleef op zijn kamer, want ook hij was door een verkoudheid geveld en moest van de dokter het bed houden. De anderen hadden geen zin om in zulk beestenweer de deur uit te gaan. Zelfs de trein was die ochtend niet gekomen. Niemand wist of hij was blijven steken in de sneeuw of dat de dienst was geschrapt, want het telefoonverkeer was uitgevallen. Er waren geen kranten gekomen en radio's waren onbruikbaar in de sneeuwstorm, dus bleven de bewoners verstoken van nieuws.

Op vijf continenten hield men de adem in vanwege het dreigende drama dat zich vierentwintig uur later zou ontvouwen. Maar de oude mensen zaten onwetend naast hun grote geëmailleerde kachels.

Wat hen betrof was het alleen maar een saaie, ondraaglijk lange dag. Ze misten de roddels in het café en de korte wandeling naar het Masaryk-plein. Als trekpaarden die gewend zijn aan hun vaste route, ergerden de oude mensen zich aan deze inbreuk op hun normale leven. De hele dag liepen ze snuffend en mopperend door het huis. De mannen eisten dat hun vrouw het avondmaal stipt om zes uur op tafel zette, en om halfacht droegen ze het dienstmeisje op om hun warme kruik klaar te maken.

Om negen uur 's avonds was het hele stadje in diepe rust. De donkere huisjes lagen tussen de sneeuwhopen als geduldige dromedarissen in de woestijn. Toen de nacht viel, was de sneeuwstorm enigszins geluwd, maar de wind blies de sneeuw nog steeds door de verlaten straatjes. In het bos kreunden de imposante naaldbomen als geesten uit het verleden.

Rond twee uur 's nachts denderde een grote vrachtwagen het slapende stadje binnen. Op het Masaryk-plein sprong er een eenheid zwaarbewapende SA'ers uit. Ze 'ontwapenden' de drie goedmoedige, grijzende plaatselijke politieagenten die in hun lange nachthemden de slaap der rechtvaardigen sliepen, met hun langzaam afkoelende kruiken aan hun voeten.

Dit gebeurde vier uur vóór de 'officiële' Duitse invasie.

Het stadje had dit vroege bezoek te danken aan zijn ligging aan de spoorlijn van Praag naar Berlijn, die de SA'ers moesten beveiligen.

Van het politiebureau gingen de Duitsers naar het postkantoor. Ze hadden opdracht om eerst alle overheidsgebouwen te bezetten. Helaas was het postkantoor geheel verlaten. De vaste sluitingstijd was zes uur; het kantoor deed ook dienst als telefooncentrale en na dat tijdstip kon je er zelfs geen gebruik meer maken van de telefoon. Maar bevel – vooral als het gaat om Duits – is bevel. De volgzame militairen ramden de deur in en 'installeerden' zich in het pand. Eén van de nieuwkomers eigende zich het kantoor van de directeur toe. Na het nuttigen van een blikje *Ersatz*-vlees ging hij op de bank van de directeur liggen. Met zijn wapen als een trouwe maîtresse in zijn armen was hij al snel diep in slaap.

Drie SA'ers bleven in de vrachtwagen. De commandant van de eenheid was ruim een meter tachtig lang en zo'n zeven- of achtentwintig jaar oud. Hij had strokleurig haar, een volkomen uitdrukkingsloos gezicht en zijn kleine hoofd was zo rond dat hij zonder het zelf te weten de bijnaam 'Kogelkop' had gekregen. Hij was in het gezelschap van twee lagere officieren van een jaar of vijfentwintig, eveneens met blond haar, blauwe ogen en een nietszeggende blik.

Terwijl hun kameraden de openbare gebouwen 'bezet' hielden, besteedden zij hun tijd aan veel lucratievere zaken. Onder het mom dat ze naar wapens zochten, vielen ze de huizen van de welgestelde burgers binnen en beroofden ze hun doodsbange slachtoffers van al hun geld, sieraden en wat ze verder maar konden vinden. Kennelijk waren ze van mening dat als hun Führer heel Tsjecho-Slowakije kon inpikken omdat het land weerloos was, zij zich de zuurverdiende bezittingen van de al even weerloze burgers wel konden toe-eigenen. Ze hadden vast niet kunnen bevatten met hoeveel moeite en toewijding de rustige plattelandsbewoners hun schaarse waardevaste bezittingen bij elkaar geschraapt hadden, de waarde die een oude, grijze vrouw hechtte aan een of andere snuisterij die ze van haar grootmoeder had geërfd, of hoe dierbaar het zware, ouderwetse gouden horloge een oude heer was die het van zijn schoonvader als huwelijkscadeau had gekregen.

De mensen die de vorige avond waren gaan slapen in de veronderstelling dat alles redelijk op orde was in de wereld, keken met grote ogen toe, twijfelend of dit nu echt gebeurde of dat het een nachtmerrie was. Lang nadat het merendeel van de Duitsers in hun vrachtwagen was vertrokken, bleven er nog lichtjes branden achter de gordijnen van de huisjes. Jammerende dienstmeisjes maakten koude kompressen voor de wild bonzende harten van hun werkgevers. Om de paar minuten werd er bij de dokter aangebeld met het verzoek om in godsnaam zo snel mogelijk te komen.

De volgende ochtend was het alsof het stadje wazig bijkwam uit een narcose. De SA'ers hadden de swastika gehesen boven het gemeentehuis en over de straatnaambordjes aan het Masaryk-plein waren witte kartonnen borden aangebracht met in slordige letters de tekst ADOLF HITLER-PLATZ. De mensen op straat keken elkaar verdoofd aan en velen huilden als kleine kinderen.

Ze wisten natuurlijk niets van politiek. Hun afstand tot

de heksenketel waar het lot van naties werd bekokstoofd en hun nabijheid tot de begraafplaats op de heuvel haalden de scherpe kantjes van woorden en ideologieën. Desondanks hadden deze stille, eenvoudige mensen eeuwen gedroomd van datgene waar de man voor stond wiens naam nu was overgekalkt. Masaryk stond voor vrijheid, een menswaardig bestaan. Toen ze die andere naam eroverheen geschilderd zagen, voelde dat alsof de graven van hun voorvaderen waren geschonden.

Ze beseften niet goed wat er was gebeurd – ze waren overrompeld door de plotselinge gebeurtenissen. Na zoiets leek niets meer onmogelijk. Zelfs de nuchterste geesten kwamen nu met bizarre rampscenario's. Doorgaans bedachtzame mannen haalden gruwelverhalen uit het verleden op waar hun kleinkinderen een dag eerder nog om zouden hebben gelachen. Het hele stadje was van de kaart.

De oude heren in het café staken hun koppen bij elkaar als samenzweerders die de galg riskeerden. Ze fluisterden verhit en na elke zin keken ze spiedend om zich heen. De angstige eigenaar liep om de paar minuten met zijn vinger op zijn lippen naar de deur, om aan te geven dat zwijgen goud was.

Om halfnegen betrad meneer Novotny, de advocaat van het stadje, het café. Hij was een man met een opvliegend karakter en een hoge bloeddruk, en hij wekte de indruk dat hij zou ontploffen als iemand hem ook maar zou aanraken. In zijn opwinding vergat hij zijn gebruikelijke begroetingen en hij liep meteen op de burgemeester af, die bij de oude heren zat omdat de SA de toegang tot zijn kantoor had gebarricadeerd. Meneer Novotny veegde het zweet van zijn voorhoofd en loerde nerveus om zich heen of er ergens Duitsers in de buurt waren. Daarna gaf hij de burgemeester een paar volgetypte vellen papier die een aanklacht bevatten tegen de nachtelijke plunderaars. Het schrijven was gericht aan het Duitse hoofdkwartier en het was de bedoeling dat iedereen wiens huis was geplunderd het zou ondertekenen.

Iedereen vond het een uitstekend idee. Het had erop geleken dat het trio geheel op eigen houtje aan het plunderen was geslagen.

'Als dat het geval is,' zo verklaarde de burgemeester gewichtig, 'moeten de autoriteiten ervoor zorgen dat de gestolen spullen worden terugbezorgd.'

De oude heren bedachten dat tegen de tijd dat de aanklacht het hoofdkwartier bereikte, de drie boosdoeners misschien wel gevlucht waren of zich van hun buit hadden ontdaan. Ze besloten om allemaal bij te dragen aan de kosten van een interlokaal telefoongesprek naar Praag, en meneer Novotny begaf zich naar de telefooncentrale.

Hij besefte echter niet dat hij nu onder een totalitair regime leefde waar vertrouwelijke communicatie onmogelijk was. De dienstdoende SA'er vuurde de ene na de andere vraag op hem af. 'Wie wilt u bellen? Waarom? Waarvoor?' De advocaat zag zich genoodzaakt zich er met een leugentje van af te maken. Even later stond hij opgelucht weer op straat, maar zonder dat zijn missie was volbracht.

Helaas voor het stadje kreeg hij een ander idee. Hij herinnerde zich dat er een directe telefoonlijn van het station naar het nabijgelegen industriecentrum liep, en daar moest zich volgens hem wel een soort Duitse commandopost bevinden. Hij nam de Tsjechische stationschef in vertrouwen en kreeg toestemming voor het geplande gesprek. De sa'ers die het station bezet hielden waren bezig met de inspectie van het spoor, want over enkele uren zou de trein van de Führer langskomen. Meneer Novotny kon ongestoord zijn gesprek voeren en gaf de stationschef aan de andere kant van de lijn opdracht om de klacht door te geven.

Dit gesprek vond om negen uur 's ochtends plaats. Drie uur later ontdekten de sa'ers dat een of meer onbekenden explosieven onder de spoorbrug in de buurt van het station hadden geplaatst.

4
.
De kolonel

Toen de eenarmige kolonel die ochtend wakker werd, wist hij nog niets van de gebeurtenissen. Zijn verkoudheid – die op zich niet al te ernstig was – had hem een jichtaanval bezorgd, een overblijfsel van de loopgravenoorlog, en zijn gewrichten deden ondraaglijk veel pijn. Daarom had hij de avond ervoor om negen uur een dubbele dosis pijnstillers ingenomen en was hij dwars door alle commotie heen geslapen.

De ogen van het dienstmeisje waren nog dik van de tranen toen ze hem zijn ontbijt bracht. Nog steeds half verdoofd hoorde de oude man stoïcijns aan wat er was gebeurd. Het leek hem allemaal onwerkelijk. Eerst vroeg hij zich af of het meisje haar verstand had verloren of dat hijzelf niet goed bij zinnen was. Vervolgens liep hij naar het raam en zag hij de swastika boven het gemeentehuis wapperen. Meteen werd hij zo bleek dat het meisje dacht dat hij zou flauwvallen. Maar dat gebeurde niet; hij was uit dikker hout gesneden. Hij stond daar zonder een woord te zeggen, lijkwit, in zijn ouderwetse gegalonneerde ochtendjas, waarvan de rechtermouw leeg omlaaghing.

Kolonel Fiala had zijn rechterarm in 1917 verloren door een Duitse granaat. Bij het uitbreken van de oorlog was hij door het Oostenrijks-Hongaarse leger onder de wapenen geroepen, waarna hij in de herfst van 1914 was overgelopen naar de Russen en samen met duizenden landgenoten tegen Oostenrijk en Duitsland had gevochten voor Tsjechische onafhankelijkheid. Vier jaar later – toen de oude droom werkelijkheid was geworden en de Tsjechische vlag wapperde boven de Hradzin – keerde hij terug in de rang van kolonel, met een arm minder, maar met een borst vol onderscheidingen. Zijn kameraden en hij werden als nationale helden onthaald.

Hij had zich meteen in het slaperige plaatsje gevestigd en met geen woord meer over de oorlog gerept. Hij was van zichzelf al niet erg spraakzaam, maar als iemand over de oorlog begon, hield hij zich Oost-Indisch doof. Na de demobilisatie droeg hij zijn uniform nooit meer. Zelfs op nationale feestdagen liep hij in burgerkleren, ondanks diverse verzoeken van de burgemeester om zijn uniform aan te trekken 'ter verhoging van de feestvreugde'. Hij weigerde zelfs zijn onderscheidingen te dragen. Als hem werd gevraagd naar de reden, veranderde hij met een grapje van onderwerp. Bij alle festiviteiten had hij een plaats naast de burgemeester en alle sprekers verwezen naar hem als 'de trots van onze stad'. Als dat gebeurde, knipperde hij onrustig met zijn ogen en gebaarde hij ongemakkelijk naar de aanwezigen om op te houden met applaudisseren. Hij leek zijn populariteit wel op prijs te stellen, maar tegelijk twijfelde niemand eraan dat hij net zo lief in zijn bescheiden hotelkamer was gebleven.

De kolonel was niet lang, maar wel gespierd en breedge-schouderd – het soort man dat nooit dik wordt. Zijn leef-tijdgenoten gingen met het verstrijken van de jaren wat minder aandacht aan hun uiterlijk besteden. Maar als de kolonel de deur van Gods Oog uit stapte, zag hij eruit als ie-mand die een afspraakje had. 's Zomers en 's winters droeg hij een stijve boord en een pasgestreken overhemd, een smetteloos witte stropdas die was versierd met een kleine gouden paardenhoef, ingelegd met robijnen. Hij droeg al-tijd een lichtgrijze broek met krijtstreep, een effen grijs colbertje en een witzijden vest. Door zijn stugge, korte haar leek zijn hoofd op een grote borstel met grijze haren. Zijn witte krulsnor was altijd perfect bijgeknipt en zijn wangen waren altijd gladgeschoren.

Toch moest het lang geleden zijn geweest dat hij dames het hof had gemaakt – als hij dat ooit al had gedaan. Hij was altijd verlegen en teruggetrokken geweest. In zijn jonge ja-ren had niemand kunnen vermoeden dat hij zou uitgroeien tot een nationale held, en hij had zelf ook nooit een dergelij-ke status nagestreefd. Zijn vader was portier bij de porselein-fabriek geweest en de jonge Fiala hoopte ooit hoofdboek-houder te worden. Hij had net zo goed kunnen dromen van de functie van directeur, maar rond de eeuwwisseling maak-te het klassenstelsel in deze uithoek van Europa het voor de zoon van een portier onmogelijk om ooit een hogere positie dan die van hoofdboekhouder te bereiken. In elk geval was zijn streven serieus en oprecht geweest. Hij had zich op de middelbare school toegelegd op handelsrekenen en boek-houden, en meteen na het behalen van zijn diploma had hij een baantje op de boekhoudafdeling gekregen.

Onopvallend en zonder ellebogenwerk ploeterde hij jaar na jaar voort, tot het zeker leek dat hij tot hoofdboekhouder zou worden gepromoveerd als de huidige functionaris zijn functie neerlegde. Maar als iemand daarover begon, wuifde hij die mogelijkheid meteen weg met een bescheiden 'Onzin', of 'We zien wel wat er in de schoot van de toekomst verborgen ligt', en begon hij net zo met zijn ogen te knipperen als bij latere gelegenheden waarbij hij 'de trots van het stadje' werd genoemd.

Heimelijk droomde hij ervan om Jarmilla, de dochter van de hoofdboekhouder, een aanzoek te doen zo gauw hij was gepromoveerd. Hij was al sinds jaar en dag verliefd op haar, en hij toonde zijn genegenheid door zich in haar aanwezigheid nog melancholieker en zwijgzamer te gedragen dan anders. Zijn hele jeugd had hij haar van een afstand bewonderd, zoals jongens filmsterren adoreren, want het was ondenkbaar dat de dochter van een hoofdboekhouder zich ooit zou verlagen tot de zoon van een portier.

Dat verschil werd kleiner toen zijn sociale status toenam, maar zijn schroom bleef. Jarmilla was nogal oppervlakkig van aard. Ze was zich totaal niet bewust van zijn liefde voor haar. Als ze al aan hem dacht, vond ze hem hooguit saai. Toch maakte de jongeman in gezelschap van meneer Vesely regelmatig uitstapjes naar het stadje, waar hij verlangend naar een driekamerwoning keek die 'tegen redelijke voorwaarden' beschikbaar was. Hij hoopte de woning op afbetaling te kunnen kopen zo gauw zijn promotie rond was en er dan met Jarmilla en hun twee kinderen in te trekken. Ja, hij had besloten dat het er twee zouden worden, een jongen en een meisje. Eentje vond hij niet genoeg en vanwege de afbetaling van het huis kon hij zich er niet meer dan twee veroorloven.

Hij was zevenendertig toen de oorlog uitbrak. De bescheiden kantoorbediende kwam verder dan hij ooit had durven dromen. Hij bereikte de rang van kolonel en werd de trots van het stadje. Maar hoofdboekhouder werd hij nooit. Die functie ging naar de assistent-boekhouder; het toeval wilde dat zijn rechterbeen een stukje korter was dan het linker waardoor hij werd afgekeurd voor militaire dienst. Jarmilla trouwde in het eerste oorlogsjaar met de nieuwe hoofdboekhouder. Toen de kolonel terugkeerde, met een arm minder, hadden ze twee kinderen, een jongen en een meisje, en woonden ze in een driekamerwoning. De kolonel zag ze weleens als hij op een zomerdag langsliep: de man die in hemdsmouwen onkruid wiedde, Jarmilla met een borduurwerkje en de twee kinderen die liepen te joelen. Of het hele gezin zat onder de oude notenboom aan de thee.

Dan ging de kolonel langs bij zijn vriend, meneer Vesely, en sprak na lange stiltes over alsnog trouwen. Van tijd tot tijd bekeek hij een huisje en soms deed hij zelfs een bod. Hij beschouwde zijn verblijf in het hotel altijd als iets tijdelijks. 'Tot ik iets geschikts vind,' zei hij tegen de hotelhouder toen hij er zijn intrek nam. Want stiekem hoopte hij de vrouw te vinden *die het lot voor hem in petto had*. Zo dacht hij aan haar – in cursieve letters. Hij was altijd voorbereid op haar komst, misschien dat hij daarom zoveel zorg aan zijn uiterlijk besteedde. In de tussentijd wandelde hij over de Hoofdstraat, las hij in het café de Praagse kranten en moest hij van tijd tot tijd vanwege zijn jicht het bed houden. Tot de dag waarop hij wakker werd en moest constateren dat er intussen twintig jaar was verstreken, en dat hij nog steeds in Gods Oog verbleef.

Twee uur later verscheen de oude heer die twee generaties lang zelfs op nationale feestdagen zijn gewone burgerkleren had gedragen, in vol tenue op de Hoofdstraat, zijn onderscheidingen glanzend op zijn borst. Naast hem marcheerden twee jongens die een krans droegen in de nationale kleuren – de grootste krans die ze in deze contreien ooit hadden gezien.

De zon was tevoorschijn gekomen en de sneeuw verdween snel. Ondanks de modder en de sneeuwbrij marcheerde de kolonel zo energiek alsof het oude uniform zijn persoonlijkheid van twintig jaar geleden weer tot leven had gewekt. De sporen op zijn laarzen en de medailles op zijn borst rinkelden.

Voorbijgangers bleven staan en staarden hem na alsof ze een geest zagen. Ze verwachtten dat de aarde zich zou openen en hem zou verzwelgen, maar vooralsnog gebeurde er niets. De SA'ers waren nog druk met het bewaken van de spoorlijn.

Steeds meer mensen voegden zich bij de kolonel. Zwijgend liepen ze door de straten, als een vreemd soort begrafenisstoet. Tegen de tijd dat ze het Sint-Wenceslas-plein bereikten, waren het minstens tweehonderd mensen. Op dat moment werd het plein nog gedomineerd door het monument voor de Onbekende Soldaat, dat nadien door de Duitsers werd gesloopt. De mensen verzamelden zich er zwijgend omheen. Het was maar een armzalig beeld, ontroerend in zijn onbeholpenheid. Toch kreeg het op dat moment een niet mis te verstane nieuwe betekenis. De inscriptie op het voetstuk luidde: HIJ STIERF OPDAT TSJECHO-SLOWAKIJE VRIJ ZOU ZIJN.

De twee jongens legden de krans aan de voet van het monument. In de stilte kon je de wind door de laurierbladeren van de krans horen ritselen. De kolonel ging in de houding staan. Hij salueerde strak met de arm die de Duitse granaat over het hoofd had gezien. Iedereen zette zijn hoed af en ging met ontbloot hoofd dicht rond de kolonel staan. Plotseling, zonder dat iemand de aanzet had gegeven, begonnen ze allemaal het volkslied te zingen: *Gde domov muj?* – Mijn land, waar zijt gij?

Een vrouw begon te huilen. Het geluid haalde een onzichtbare trekker over, overal in de menigte welde gesnik op. Onderdrukte, onduidelijke geluiden – luid geweeklaag en zacht gejammer – vermengde zich met het gezang. De mannen staarden strak voor zich uit of snoten hun neus, maar een flink aantal proefde zilte tranen tijdens het zingen.

Bij het derde couplet hoorden ze het zware gedreun van wielen uit de richting van het station. Meteen daarna reed de vrachtwagen van de SA het plein op. De Duitsers schoten in de lucht voordat ze de bocht om reden. De menigte verspreidde zich. Even later waren alleen de kolonel en een gedeukte zwarte hoed over die iemand in het gedrang had verloren.

De SA'ers sprongen uit de wagen en renden met hun geweren in de aanslag op de kolonel af, alsof ze een vijandelijke loopgraaf bestormden. De oude man bleef aan de voet van het standbeeld van de Onbekende Soldaat staan, zijn linkerhand in saluut opgeheven. Vier soldaten sloegen hem tegen de grond en namen hem meteen mee naar het politiebureau. Een uur later lag de kolonel nog steeds bewusteloos in een cel.

En toen werd hij door een plotselinge wending in de gebeurtenissen van vitaal belang voor de Duitsers.

5

·

De geboorte van een complot

De stationschef van het industriestadje, die het telefoon-
tje van advocaat Novotny had aangenomen, gaf de klacht
plichtsgetrouw door. Het hoofdkwartier kwam meteen in
actie. Nergens anders dan in nazi-Duitsland worden ont-
vreemders van eigendommen zo consciëntieus vervolgd.
Inbrekers en dieven worden beschouwd als ongewenste
concurrenten van de staat.

Voor de zekerheid bracht de stationschef zijn klacht zo
verontschuldigend mogelijk over, zodat het voor iedereen
duidelijk was dat hij alleen maar een vervelende verplich-
ting nakwam en dat hij de autoriteiten slechts met tegenzin lastigviel met zo'n kleinigheid. Maar in dergelijke omstandigheden is zelfs voor de meest voorzichtige klacht
moed nodig. In de stad heerste grote verwarring, omdat de
Tsjechische overheid al was afgezet en de Duitsers zich nog
niet hadden geïnstalleerd. De macht was tijdelijk in handen van de commandant van een genie-eenheid, een ten-
gere, Pruisische majoor vol littekens met een monocle, die
achter zijn bureau zat alsof hij de gezant van Wodan op

aarde was. Hij hoorde het verhaal van de stationschef zwijgend aan en gaf vervolgens een sergeant opdracht om de zaak te onderzoeken.

De sergeant arriveerde rond de middag. De SA'ers bewaakten nog steeds het spoor omdat het precieze tijdstip van de aankomst van de Führer nog niet was bekendgemaakt. De sergeant kon geen enkele leidinggevende vinden, afgezien van de SA'er in het politiebureau. De sergeant vertelde hem waarvoor hij kwam, maar de man kon hem niet verder helpen. Hij had de hele nacht op zijn post op het bureau gezeten en hem had geen enkele klacht bereikt.

'Ik vind het maar een vaag verhaal,' zei hij. 'De mensen hier zijn in alle staten. Vanmorgen braken er bijna rellen uit.'

De sergeant – een grote vent met een wat wazige blik in zijn ogen – genoot van zijn gezag. Hij maakte uitgebreid aantekeningen en liet de SA'er vervolgens zijn commandant halen.

Dit was niet helemaal volgens de regels. De patrouille moest de spoorlijn beveiligen, en de sergeant had niet het recht om de commandant van zijn post te halen. Maar de sergeant bekeek de zaak anders. Hij had honger, hij wilde zijn middageten. En hij genoot van zijn kortstondige machtspositie die hem in de gelegenheid stelde om bevelen te geven aan een officier van de SA, wiens rang normaal gesproken gelijk was aan die van hemzelf.

Dit gaf Kogelkop de tijd om 'iets te regelen'. Toen hij van de komst van de sergeant hoorde, trokken zijn medeplunderaars en hij zich snel terug in de toiletruimte voor krijgsberaad. De stationschef, die op de wc zat, hoorde wat ze bespraken.

Na het overleg ging Kogelkop naar het hotel en meldde zich bij de sergeant; zijn metgezellen haastten zich naar de spoorbrug. De stationschef zag vanuit het raam dat ze iets zwaars droegen. Later ontdekte hij dat een kist dynamiet, afkomstig uit Praag en bedoeld voor de aanleg van wegen, uit de opslagruimte was verdwenen.

Kogelkop rapporteerde bij de sergeant dat hij die nacht had ontdekt dat de brug ondermijnd was en vervolgens opdracht had gegeven om alle huizen te doorzoeken. De klacht, zo stelde hij, was een truc om de aandacht van de echte misdadigers af te leiden.

In eerste instantie wilde de sergeant geen stelling nemen. Hij was enorm in zijn sas met de situatie, hij maakte aantekeningen, stelde vragen en fronste van tijd tot tijd nadenkend zijn wenkbrauwen zoals hij zijn majoor had zien doen. Maar later raakte hij ervan overtuigd dat Kogelkop de waarheid sprak. Hij bezocht de plaats van het misdrijf, inspecteerde het bewijsmateriaal en ontstak in grote woede.

'En dan het lef hebben om een klacht in te dienen!' riep hij, ontsteld door de oneindige slechtheid van de mens.

Kogelkop wierp een blik op zijn twee vrienden en glimlachte bijna onmerkbaar.

Het nepcomplot werkte. Maar voor een moordaanslag is een moordenaar nodig, een aanstichter, of op z'n minst een verdachte. En zo kwam de kolonel in beeld.

Het was een hele opsteker voor Kogelkop dat hij hem had opgepakt toen de sergeant arriveerde. Op zo'n korte termijn had hij zich geen betere verdachte kunnen wensen. De kolonel werd uiteindelijk bijgebracht door dokter Burian, de plaatselijke arts. Nog voordat hij met zijn ogen kon knipperen stelden de Duitsers dat hij, terwijl hij sliep op zijn extra dosis medicijnen, had getracht om de brug op te blazen – of in elk geval anderen daartoe had aangezet.

Vanuit het oogpunt van de Duitsers leek het een plausibel verhaal. Hij was een hoge Tsjechische officier die de Duitsers zo haatte dat hij vier jaar lang aan Russische zijde tegen hen had gevochten. Ondanks zijn leeftijd had hij een demonstratie tegen de Duitse bezetting georganiseerd; hij had in Tsjechisch uniform een enorme krans van de ene kant van het stadje naar de andere gedragen en die neergelegd bij het monument voor de Onbekende Soldaat. Als er aan iemand een politiek complot moest worden toegeschreven in een stadje waar nooit iemand de geringste interesse in politiek had getoond, dan was de kolonel de aangewezen persoon. Het zag er somber voor hem uit.

Alleen de stationschef had hem kunnen redden. Hij had op het toilet de SA'ers hun plan horen beramen. En zelfs als zijn verhaal niet was geloofd, had hij over de nodige bewijzen beschikt. Want met typisch Duitse grondigheid had de SA'er die hem de vorige nacht van zijn taak had ontheven een inventarislijst opgemaakt. Op dat moment bevonden de explosieven zich in de opslagruimte – sterker nog: dat was het moment waarop ze erachter kwamen dat er explosieven lagen. Toen de SA'er om vier uur 's ochtends klaar was met zijn lijst, lagen de explosieven er nog. Maar Kogelkop had tegen de sergeant gezegd dat hij zijn opdracht tot huiszoeking om drie uur had gegeven, toen de explosieven onder de brug waren ontdekt. Vergissingen waren uitgesloten, want de consciëntieuze SA'er had een beschrijving en het nummer van de kist in de opslagruimte opgeschreven, en die kwamen overeen met het gevonden bewijsmateriaal.

Dit stukje onweerlegbaar bewijs lag in het bureau van de stationschef. Hij hoefde alleen maar de la open te trekken en het te pakken. Maar de stationschef hield zijn mond en zijn la dicht. De arme man had al genoeg aan zijn eigen ellende.

Zijn oudste zoon, die de vorige zomer van school was gekomen, had geen werk kunnen vinden. Hij verdeed zijn tijd met nietsdoen en achter de meisjes aan zitten; zelfs een studieboek doornemen kwam er niet van. Hij leek gedoemd om in de goot te eindigen. En net op het moment dat zijn vader dacht dat hij een baantje bij de spoorwegen voor hem kon regelen, waren de Duitsers gekomen.

De dochter van de stationschef, nog geen zestien jaar oud, vormde een andere bron van zorg. Hij had haar kort daarvoor betrapt in de armen van een gladjanus van een postmedewerker die altijd naar haarwater rook en het aanlegde met elke zigeunerslet die hij maar kon krijgen, vooropgesteld dat haar eisen zijn portemonnee niet te boven gingen. De jongste zoon, die op het punt stond om de middelbare school af te ronden, was een voorbeeldige leerling. Maar hij las van 's morgens vroeg tot 's avonds laat Marx en Lenin, en ook dat zou hem weleens in de problemen kunnen brengen.

Dag in dag uit jammerde de stationschef als een oud vrouwtje dat zijn kinderen nog eens zijn dood zouden worden. Maar in werkelijkheid gebruikte hij ze als afleiding voor veel ernstiger zorgen. Zijn vrouw was net naar Praag vertrokken voor nog meer radiumtherapie. Hij kon haar niet vertellen dat hij, om de kosten te kunnen betalen, een extra lening op hun huis had moeten afsluiten, waarvoor ze vijftien jaar lang elke cent opzij hadden gelegd. Door haar ziekte zat hij tot over zijn oren in de schulden, terwijl hij wist dat alle woekerleningen tevergeefs waren. Zijn vrouw was ongeneeslijk ziek – dat had hij een jaar eerder al van de dokter te horen gekregen.

De stationschef wist dat het leven van de kolonel op het spel stond en dat alleen hij hem kon redden. Maar op zo'n moment kon hij zijn baan toch moeilijk op het spel zetten? In plaats daarvan besteedde hij er de halve middag aan zijn oudste zoon te berispen, die weer eens vijf sokol uit het gezinsspaarpotje had gepikt.

Het geweten van de dokter was minder plooibaar. Hij legde een verklaring af voor de onderzoekscommissie, hoewel de verwondingen van de kolonel die hij kort daarvoor had verzorgd hem hadden kunnen waarschuwen voor de methoden die de zonen van Wodan hanteerden. Hij had een zwak hart en de spanning werd hem bijna te veel. Toch nam hij het in rustige, afgemeten bewoordingen op tegen de geroemde sergeant.

'Het is volslagen onmogelijk,' zei hij. 'De patiënt was al vijf dagen niet van zijn kamer gekomen. Gisteravond was hij er zo slecht aan toe dat hij zich nauwelijks kon bewegen.'

'Hoe verklaart u dan,' onderbrak Kogelkop hem schamper met een zijdelingse blik naar de sergeant, 'dat die hulpeloze patiënt van u vanochtend wel in staat was om een patriottistische demonstratie te organiseren? U weet dat hij vanmorgen als een jongeman van twintig van de ene naar de andere kant van de stad is gelopen?'

'Ja,' erkende de dokter. 'Maar iets dergelijks kan ook in gang worden gezet door een ongewone reeks psychische en...'

Kogelkop onderbrak hem met een stem die de ruiten liet trillen.

'Weet u wel of niet wat er vanmorgen is gebeurd?'

'Ja, ik weet wat er is gebeurd.'

'Juist,' snauwde Kogelkop, met weer een triomfantelijke blik naar de sergeant. Daarmee was de discussie gesloten.

Uiteindelijk was de dokter opgelucht dat hij er zonder kleerscheuren afkwam, maar zijn geweten bleef aan hem knagen. Hij was diepgelovig. Hij was arts en hij maakte zich geen illusies over de steken in zijn hart. Hij was halverwege de zestig, en ze kwamen steeds vaker voor. Op de mensen in het stadje kwam hij altijd even gemoedelijk en vriendelijk over – als een soort wijsgeer met een vleugje Sinterklaas. Maar hij werd al jaren gekweld door een ziekelijke angst voor de dood. Hij stond helemaal alleen op deze wereld. Soms werd hij 's nachts doodsbang wakker: misschien zat er in een van zijn versleten fauteuils wel iemand te wachten die geen behoefte had aan zijn zorg. Bij die gedachte moest hij dan huilen als een klein kind. Lang geleden was hij als jonge arts in het fabrieksstadje een enthousiast aanhanger geweest van het historisch materialisme. Maar toen zijn hartritmestoornissen waren begonnen en hij zich had teruggetrokken in het rustige plaatsje, was zijn religieuze beleving langzaam uitgegroeid tot een obsessie.

De dokter miste geen enkele ochtendmis in de kerk, waar hij voor elk van zijn patiënten afzonderlijk bad. De inwoners bezagen zijn toewijding met milde ironie.

Toen hij het politiebureau verliet, haastte hij zich het plein over naar de kerk. De kerk was verlaten. Hijgend en duizelig hield de oude man stil in het schemerlicht en voelde zijn pols. 'Verontrustend,' mompelde hij zachtjes, alsof hij bang was dat de patiënt hem kon horen. En vervolgens, op de zinloze manier waarop oudere mensen zoiets doen, zei hij nog eens: 'Behoorlijk verontrustend.' Met een vreemde, beroepsmatige afstandelijkheid maakte hij zijn dokterstas open, pakte er een paar pillen uit en nam ze in. Hij legde zijn hoed en tas in de buurt van het altaarhek en knielde langzaam neer, als een man die thuiskomt na een zware taak. Hij zette zijn bril af en stopte hem zorgvuldig in zijn vestzak om beschadiging te voorkomen.

Vervolgens begon hij toonloos snikkend te bidden.

'Onze Vader Die in de Hemelen zijt, Uw Naam worde geheiligd; Uw Koninkrijk kome; Uw wil geschiedde, gelijk in de Hemel alzo ook op de aarde…'

Hij had bijna niet in de gaten dat hij bad. Bidden was voor hem als muziek voor de ware musicus: hij hoorde alleen de prachtige, woordeloze melodie. Het gebed steeg op naar zijn lippen zoals er tranen opwelden in zijn ogen. Toen hij het Onzevader drie keer had opgezegd, wist hij plotseling zeker dat hij de kolonel ondanks de eventuele consequenties niet in de steek zou laten. Dat besef vervulde hem van een onuitsprekelijke rust. Hij sloeg een kruis en stond op. Vervolgens haastte hij zich als een man met een belangrijke missie naar het hotel.

De mannen die de klacht hadden ondertekend, zaten in het café te wachten tot ze naar het politiebureau geroepen zouden worden. Maar de dokter liep met een boog om hen heen en ging rechtstreeks naar de keuken, waar hij het personeel vertelde van de aanklacht tegen de kolonel. De bedienden waren wanhopig. Het hotel had maar weinig medewerkers en ze wisten allemaal zeker dat de kolonel de vijf dagen vóór die ochtend zijn kamer niet uit was geweest. Ze waren allemaal dol op de oude man, want ondanks zijn roem was hij tegen allemaal altijd vriendelijk en aardig.

Toen de mannen in het café hoorden dat de dokter een 'delegatie' naar het politiebureau zou leiden, besloten ze om met hem mee te gaan. Ze waren intussen een stuk moediger dan die ochtend.

'Je ziet hoe snel ze op onze klacht hebben gereageerd,' zeiden ze. 'Misschien geloven ze toch wel in gerechtigheid.'

De dokter vertelde maar niet hoe het de arme kolonel was vergaan.

Vol vertrouwen ging het gezelschap op weg. Hun eerste verrassing kwam bij de deur van het politiebureau.

'*Eintritt verboten!*' blafte de SA'er die op wacht stond.

Pas na lang aandringen stemde hij erin toe om hun komst door te geven. Er ging een halfuur voorbij, toen een uur, en er gebeurde nog steeds niets. De delegatie stond rillend in de invallende schemering. De deur zat dicht. De SA'er keek van tijd tot tijd uit het raam, maar als ze probeerden hem aan te spreken, reageerde hij niet.

De groep trok de aandacht van voorbijgangers. Er voegden zich meer mensen bij hen; er ontstond een menigte en iedereen voerde verhitte gesprekken over de recente gebeurtenissen. Het weer werd steeds slechter. Vanuit de heuvels waaide een ijzige wind, op plassen vormde zich een laag ijs en de modder op straat werd keihard. Een paar grote sneeuwvlokken dwarrelden traag door de lucht. En toen begon het echt te sneeuwen.

De avond viel. Winkels en kantoren gingen dicht. Personeel en verkopers voegden zich bij de menigte op het plein. De nieuwkomers waren van een ruiger slag dan de oude mannen. De stemmen werden luider. De stemming onder de mensen werd grimmiger. Na twee uur wachten tikte meneer Novotny met zijn stok tegen het raam. Geen reactie. Iemand in de menigte riep zo hard als hij kon: 'Gerechtigheid!'

Het woord vond weerklank bij de anderen – eerst voorzichtig en zachtjes, daarna luid en dwingend, riepen ze even later allemaal in koor:

'Gerechtigheid!'
'Gerechtigheid!'
'Gerechtigheid!'

Degene die het voor het eerst had geroepen, eiste waarschijnlijk gerechtigheid voor de kolonel, maar het woord nam als een lawine in kracht toe. De menigte eiste niet langer gerechtigheid voor één man, maar voor het hele land, de hele wereld, voor alle uitgeputte, gebroken en onderdrukte mensen:

'Gerechtigheid!'
'Gerechtigheid!'
'Gerechtigheid!'

Kogelkop keek uit het raam, en wat hij zag beviel hem niets. Het plein was één donkere, ziedende mensenzee. Normaal gesproken zou dat niets zijn geweest om bezorgd over te zijn. Hij wist dat hij alleen maar de telefoon hoefde te pakken, en een kwartier later zouden er zoveel militairen in de stad zijn dat het de mensen zou spijten dat ze het woord 'gerechtigheid' zelfs maar in de mond hadden durven nemen. Maar dat was nu juist niet wat hij wilde doen. De bezetting van Tsjecho-Slowakije had zich met de snelheid van een reusachtige overval voltrokken. Zelfs in de grotere steden was er nauwelijks weerstand geweest. Als er in dit godvergeten gat versterkingen nodig waren – vooral als het tot bloedvergieten kwam – zou het hoofdkwartier misschien een onderzoek instellen en de zaak tot op de bodem uitzoeken. Daar zat Kogelkop niet op te wachten.

De sergeant ondervroeg nog steeds de kolonel, die intussen halfdood was en bijna geen woord meer kon uitbrengen. Kogelkop was niet dom. Hij nam de sergeant terzijde. Na een gefluisterd gesprek werd de oude man weggevoerd. Daarna zei Kogelkop tegen de wachtpost dat hij de delegatie kon toelaten.

Zijn aanpak bleek de juiste. De menigte werd meteen rustig. Ze waren koud, hadden honger en verlangden steeds meer naar hun warme kamers en schommelstoelen. Langzaam begonnen ze zich te verspreiden. Uiteindelijk bleven er nog maar een paar doorzetters over die beslist wilden weten wat de delegatie had bereikt.

Kogelkop hoorde de getuigen aan met een hoffelijkheid die hen verbaasde. Hij deed het voorkomen alsof hun getuigenis belangrijk was.

'De wet zal de schuldigen genadeloos straffen,' verzeker-de hij hun. 'Maar onschuldigen hebben niets te vrezen. Ik doe tenslotte alleen maar mijn plicht, vrienden. Jullie zou-den in mijn plaats hetzelfde doen.'

Tot dusver was er nog met geen woord gerept over de diefstallen. Het was bijna acht uur. De sergeant begon hon-ger te krijgen; hij werd onrustig en keek voortdurend op zijn horloge. Kogelkop knikte begrijpend en stuurde snel het hotelpersoneel weg. Alleen de opstellers van de klacht bleven achter.

Het was even stil. Kogelkop bestudeerde zwijgend zijn papieren. En toen veranderde zijn toon.

'Is meneer Novotny aanwezig?' vroeg hij dreigend.

'Ja, meneer,' antwoordde de advocaat, en hij voelde zijn hart overslaan.

Kogelkop bekeek hem van top tot teen, als een slager die een stier gaat slachten.

'Dus jij zit hierachter!' bulderde hij.

Daarna wijdde hij zich weer aan zijn papieren. Het kou-de angstzweet brak Novotny uit. De anderen keken in doodsangst toe.

'Ik zie hier,' zei Kogelkop, weer met een slagersblik naar de advocaat, 'dat jij een klacht hebt ingediend tegen de eenheid onder mijn commando.'

Meneer Novotny's schaarse resterende plukjes haar plakten tegen zijn transpirerende schedel. Zijn gezicht was door angst getekend. Tenzij hij de situatie op precies de goede manier aanpakte, zou hij tot de zondebok van de menigte worden gemaakt. Hij maakte zich geen illusies over zijn positie.

'Ik handelde namens mijn cliënten,' wist hij uiteindelijk uit te brengen.

Kogelkop wist dat dat niet de waarheid was, of in elk geval niet de hele waarheid. Hij had zelf de woning van de advocaat geplunderd. Maar voorlopig deed hij alsof hij hem nog nooit had gezien.

'Bedoel je,' vroeg hij, 'dat je alleen maar in opdracht handelde?'

Nu kregen de anderen het doodsbenauwd. Ze merkten dat de advocaat zich er ten koste van hen uit probeerde te draaien. Hij stond met zijn rug naar hen toe, maar hij voelde hun stekende ogen.

'Ik ben advocaat, meneer,' antwoordde Novotny ontwijkend.

'Aha,' zei Kogelkop.

Hij had de strategie van de advocaat door en wilde de situatie ten volle uitbuiten. Hij glimlachte vriendelijk en bood Novotny een stoel aan – een symbolisch gebaar waarmee hij een eind maakte aan elke suggestie van gelijkheid tussen de advocaat en zijn onfortuinlijke cliënten die nerveus stonden te schuifelen.

'Feit is,' zei Kogelkop tegen de advocaat, 'dat er een onderzoek is gestart op grond van een mondelinge klacht. Maar ik moet het geheel op papier hebben, inclusief de namen en adressen van alle klagers. Omdat…' Op dat moment verhief hij plotseling zijn stem terwijl hij met priemende ogen naar de bange groep keek, '… omdat ik van plan ben om strafmaatregelen tegen ze te treffen. De ernstige en ongegronde aanklachten tegen de eenheid onder mijn commando vormen een aanval op de Duitse strijd-

krachten – en dus een misdrijf tegen het gevestigde gezag.'
Hij stond op en gaf meneer Novotny een hand zonder de
anderen een blik waardig te keuren.

'Dat was alles.'

De oude heren gingen naar huis en degenen die nog
een hap door hun keel konden krijgen, nuttigden hun
avondmaal. Zij die getrouwd waren, bespraken de toestand met hun vrouw. De dames hoorden het hele schok-
kende verhaal aan en reageerden allemaal op vrijwel
identieke wijze: 'We gaan die aanklacht niet ondertekenen, lieverd.'

De anderen mochten op hun kop gaan staan als ze daar
zin in hadden, al werd het hele stadje onder een zwavel-
regen bedolven. Maar meneer en mevrouw X zouden part
noch deel hebben aan de zaak. Jeanne d'Arc zou ongetwijfeld anders hebben gehandeld, maar zij had tijdens haar
slaap hemelse stemmen gehoord, terwijl deze arme, angstige huisvrouwen alleen maar nachtmerries hadden over de
gruwelen van Duitse concentratiekampen.

Hun echtgenoten protesteerden voor de vorm dat daar
natuurlijk geen sprake van kon zijn. De dames merkten op
dat ze de boom in konden met hun principes; ze wilden gewoon met rust worden gelaten. Uiteindelijk protesteerden
de meeste mannen alleen nog maar voor de schijn, alsof ze
zich moesten laten overtuigen van wat ze al wisten.

Na het eten verzamelden de mannen zich op het kantoor van Novotny, zogenaamd om de aanklacht te ondertekenen. De advocaat stond op. Na een lange inleiding
over de positie van het individu in de maatschappij en de
noodzaak om aan Caesar te geven wat Caesar toekomt,

kwam hij eindelijk ter zake. 'Gezien onze heikele situatie, heren, zou het waanzin zijn om de autoriteiten te provoceren met een tweede aanklacht.'

De dokter, die nooit getrouwd was geweest, probeerde tegen hem in te gaan, maar hij werd uitgejoeld. De advocaat kreeg de opdracht om de volgende ochtend naar het politiebureau te gaan en de aanklacht in te trekken.

Maar meneer Novotny wachtte niet tot de volgende ochtend. Een halfuur later stond hij in de eetzaal van het hotel. Kogelkop en de sergeant zaten nog aan tafel.

'Vergeef me dat ik u stoor, heren,' stotterde de advocaat. 'Ziet u... Het zit zo... Ik kwam tot de conclusie dat de klacht ongegrond was, en dus... heb ik mijn cliënten overgehaald om hem in te trekken.'

Na een korte pauze ging hij plechtig verder: 'En daarnaast, om de benadeelde partij genoegdoening te geven, heb ik een herziene versie van de zaak opgesteld, met daarin opgenomen de welgemeende excuses van mijn cliënten.'

Meneer Novotny had natuurlijk geen instructie gekregen om excuses aan te bieden, maar dat maakte hem niet uit. Bescheiden glimlachend gaf hij het papier aan Kogelkop, die het daarna voor de sergeant op tafel legde, zoals een zegevierende generaal de sleutel van een veroverde stad voor de voeten van zijn prins zou leggen.

Toen de advocaat opstond, begeleidde Kogelkop hem naar de deur.

'U bent toch van arische afkomst?' vroeg hij buiten gehoorsafstand van de sergeant.

'Zeer zeker,' antwoordde de advocaat naar waarheid.

'Daar zou ik gezien uw aanpak van deze zaak ook geen

moment aan hebben getwijfeld,' zei Kogelkop. 'Hoe dan ook, aarzel niet om een beroep op me te doen als u iets geregeld wilt hebben.'

Stralend kwam meneer Novotny weer buiten. Toen hij het bureau passeerde, knikte hij even zuinigjes naar de wachtpost die hij tien minuten eerder nog met een zwierig gebaar had gegroet – om nog maar te zwijgen over de kostbare Cubaanse sigaren, die normaal gesproken bestemd waren voor hoge ambtenaren in Praag, waarmee hij hem die middag had proberen te lijmen.

Na het vertrek van de advocaat veegde de sergeant wat bierschuim uit zijn zandkleurige snor en schudde hij zijn hoofd.

'Geen greintje eergevoel, die Tsjechen.'

Kogelkop trok afkeurend zijn neus op.

'Wat verwacht je dan? Het is een inferieur ras.'

Intussen was hem niet ontgaan dat de sergeant zeer te spreken was over het uitstekende bier. Als erkend alcoholist herkende hij de symptomen bij anderen ook al snel. De sergeant droeg een trouwring en het vereiste weinig wiskundig inzicht om uit te rekenen hoeveel bier hij van zijn soldij kon betalen. Gezien deze feiten liet Kogelkop zich ontvallen dat hij die dag jarig was. Zou de sergeant dat met hem willen vieren?

De avond werd een groot succes. Tegen middernacht ging de sergeant naar buiten om over te geven en daarna proostten ze weer op elkaar en op hun vriendschap. De volgende ochtend was de sergeant er ondanks een kolossale kater nog steeds van overtuigd dat Kogelkop een prima kerel was en dat het reguliere leger alle sa'ers ten onrechte als uitschot beschouwde.

Nadat hij de sergeant naar bed had geholpen – geen eenvoudige taak – ging Kogelkop in conclaaf met zijn twee vrienden die op zijn kamer op hem zaten te wachten. Ze hadden een lastig probleem. Als iemand een klacht indient, kan hij die later intrekken en er desnoods zijn excuses voor aanbieden; maar als je beweert dat iemand heeft geprobeerd om de trein van de Führer op te blazen en zelfs voor een ondermijnde brug als bewijs zorgt, kun je dat verhaal niet zo makkelijk herroepen, als je leven je lief is.

Het complot liep uit de hand. Ze hadden serieus spijt dat ze zo'n grove leugen hadden bedacht; maar berouw komt na de zonde. Ze hadden eerst overwogen om joden de schuld te geven, maar helaas was er in het godvergeten gat geen enkele jood te vinden. Bovendien hadden ze haast gehad; ze hadden niet gerekend op de komst van de sergeant. Ze waren zich alle drie dood geschrokken en waren daardoor ondoordacht te werk gegaan.

En nu bestond de aanklacht waar ze hun complot voor hadden bedacht niet meer, maar het complot denderde voort. Verdichtsel bleek sterker dan de waarheid te zijn; de boze geest die ze hadden opgeroepen, had zich tegen hen gekeerd. Als het hoofdkwartier te horen kreeg dat er een poging was gedaan om de trein van de Führer op te blazen, zou de Gestapo de zaak overnemen en dat zou het einde van de drie musketiers betekenen.

Hun overleg leidde tot twee hoofdconclusies:

1 De kolonel was niet geschikt als dader, want hij trok te veel aandacht.
2 Er moest snel een andere kandidaat worden gezocht.

Ze hadden een eenvoudige, geloofwaardige dader nodig, zonder vrienden of familie; iemand die ze zonder veel ophef konden liquideren als het moment daar was.

En zo kwamen ze bij Svoboda terecht.

6
·
De geloofwaardige dader

Op 15 maart wachtte de weduwe op de opkopers die zoals altijd eens per drie maanden langskwamen. Bij die gelegenheid bleef Svoboda meestal slapen. Hij hielp met het sorteren van de handel en probeerde te voorkomen dat de mannen de weduwe afzetten.

Zo ging het ook dit keer, alleen had het Duitse leger, dat geen rekening hield met de beslommeringen van de weduwe, plotseling Tsjecho-Slowakije bezet en alle wegen afgesloten. Daardoor wachtten Svoboda en de weduwe tevergeefs op de opkopers. Ze hadden geen idee van wat er was gebeurd toen zij kalmpjes afval aan het sorteren waren. Ze dachten dat de wagen was blijven steken in de sneeuw.

De SA had niets in hun omgeving te zoeken en de kou hield Svoboda en de weduwe binnenshuis. Ze hadden geen radio; de kranten waren die dag niet aangekomen in het stadje en ze zouden ze toch niet hebben gelezen, want Svoboda was analfabeet, en de literaire belangstelling van de weduwe reikte niet verder dan stuiverromannetjes. Ze wachtten de hele dag zonder zich verder echt zorgen te maken.

De weduwe was dolblij. Haar minnaar was een hardwerkend man die zelden een hele dag bij haar doorbracht. Ze besloot om de gelegenheid zo veel mogelijk te baat te nemen. Ze vulde de kleine kolenkachel tot er niets meer bij kon, vertroetelde haar vent met eten en drinken – hij hield wel van zijn natje en droogje. En daarna, doezelig door het vele eten en drinken, ging ze met hem naar bed, want daarin vond zij haar grootste bevrediging. Voordat ze het in de gaten hadden, was de dag voorbij.

De trein van zeven uur tien was aangekomen en weer vertrokken tegen de tijd dat Svoboda bij het station kwam. Hij pakte zijn deken en wat stro uit de opslagruimte en ging meteen naar bed. Moe van het bedrijven van de liefde en het afval sorteren viel hij direct in slaap.

Intussen baanden de SA'ers zich door de sneeuwjacht een weg langs het spoor, in afwachting van de trein van de Führer. Hitler was die middag in Praag aangekomen – per auto, overigens –, maar niemand had eraan gedacht om hen op de hoogte te brengen. Zulke veiligheidsmaatregelen werden vaker genomen om het leven van de Führer te beschermen.

Even voor elven was een SA'er die Schmatz heette en wiens dienst net was afgelopen, op weg naar de wc toen hij in de wachtkamer tevreden gesnurk hoorde. Hij ging naar binnen en schudde de slaper wakker. Het was voor het eerst in twintig jaar dat Svoboda zoiets overkwam. Iedereen, inclusief de stationschef, wist dat hij daar sliep en niemand had ooit zelfs maar overwogen om zijn rust te verstoren.

Wat moest die vreemdeling in vredesnaam van hem?

Zelfs een zwakbegaafde oorlogsveteraan kan onderscheid maken tussen de verschillende uniformen; daardoor nam Svoboda aan dat de indringer in elk geval niet van het gezag was. Die indruk werd versterkt door het feit dat de man Duits sprak, een taal die Svoboda herkende uit zijn diensttijd in het Oostenrijks-Hongaarse leger, waar de bevelen in het Duits werden gegeven. Bovendien was de SA'er – aangezien hij op weg was naar de wc – ongewapend. Svoboda nam aan dat hij een verdwaalde toerist was en verwees hem slaperig naar de postsorteerruimte; daar zouden ze hem wel verder kunnen helpen. De Duitser, die geen Tsjechisch sprak, dacht dat Svoboda zijn vaderland beledigde.

'Maak dat je hier wegkomt!' riep hij.

Toen Svoboda geen aanstalten maakte om te gehoorzamen, porde de militair hem met zijn modderige laars tussen zijn ribben.

Op zich had Svoboda daar niet zoveel moeite mee. Zijn volk was al eeuwenlang met modderige laarzen getrapt. Maar toen voelde hij glasscherven in de jaszak aan de kant waar hij was geschopt. Dat was ernstiger.

De dochter van de stationschef had Svoboda met kerst een goedkoop zakhorloge gegeven, als blijk van waardering voor zijn diensten als liefdesbode voor de briefjes die zij en de welriekende postmedewerker uitwisselden. Het was het eerste horloge dat Svoboda ooit had bezeten, en hij was er dolgelukkig mee. Als hij een bekende tegenkwam, was een van de eerste dingen die hij deed zijn horloge tevoorschijn halen, er opzichtig mee zwaaien en met een verbaasde frons zeggen: 'Zo laat? Mijn horloge loopt prachtig de tijd.'

Dat was niet echt het geval. In werkelijkheid zette hij het diverse malen per dag gelijk met de stationsklok. Het horloge was een waardeloos prul, maar hij was er de koning te rijk mee. Hij zat vaak in de schaduw van het stationsgebouw met zijn horloge tegen zijn oor minutenlang met een verzaligde blik in zijn ogen naar het getik te luisteren.

'Jezus maria, mijn horloge!' riep hij.

Onzeker bracht hij het blikken ding naar zijn oor. Het uurwerk tikte, maar het glas lag aan splinters. Svoboda was de wanhoop nabij. Hoe moest hij aan een nieuw glaasje komen? God mocht weten hoeveel zoiets kostte. Hij sprong met een vuurrood hoofd op en begon tegen de SA'er te schelden.

'Waarom jij schopt tegen mijn horloge? Jij betalen, snel. Anders naar politie.'

Schmatz begreep er geen woord van. Hij registreerde alleen dat de man stond te schreeuwen, dus probeerde hij nog iets harder te schreeuwen.

'Vertel onmiddellijk wat je hier te zoeken hebt,' riep hij in het Duits.

'Jij betaalt glas van horloge, anders ongelukken gebeuren,' riep Svoboda terug in het Tsjechisch, en hij zwaaide het horloge voor het gezicht van de Duitser heen en weer om te laten zien wat hij had aangericht.

Uiteindelijk voelde Schmatz zich zo geprovoceerd dat hij het horloge uit Svoboda's hand sloeg.

Toen werd de kruier zo kwaad dat hij zijn veelgetergde voorouders vergat – of ze zich maar al te goed herinnerde. Hij haalde uit met zijn kolenschoppen van handen en twee tellen later lag de trotse zoon der Nibelungen languit in de sneeuw en kon hij geen 'Heil Hitler' meer zeggen.

De enige reden waarom Svoboda hem niet doodsloeg, was dat hij met zijn gedachten bij zijn horloge was. Hij hurkte op de grond neer en begon tussen het stro naar zijn kostbare kleinood te zoeken. Tegen de tijd dat hij het vond, was de Duitser in de duisternis verdwenen. En daar bofte hij mee: het horloge liep niet meer. Svoboda schudde ermee, praatte er vleiend tegen als tegen een koppig veulen, terwijl hij intussen weinig vleiende opmerkingen over de vrouwelijke voorouders van de Duitser maakte. Tevergeefs. Het regelmatige getik was tot zwijgen gebracht – zo stil als het hart van een dode. Voor Svoboda voelde het alsof ze zijn kind hadden vermoord. Met het levenloze horloge in zijn hand brak de grote kerel in snikken uit.

Op dat moment stormden drie SA'ers onder leiding van Schmatz de wachtkamer binnen. Bij de aanblik van de horlogesloper zette Svoboda zich schrap om hem te bespringen. Maar toen zag hij dat ze gewapend waren en kromp hij ineen als een hond die met de zweep krijgt. De arme reus had nooit leren lezen en schrijven, maar zijn superieuren hadden hem geleerd dat een man met een wapen een heer of iemand van het gezag was, en dat je daar beter niet tegen in kon gaan. Dus hield hij zich in.

Ondanks zijn tijdelijke terugtrekking was Schmatz nu echt de Teutoonse held. Hij gaf Svoboda twee harde klappen in zijn gezicht.

'Breng hem naar het hoofdkwartier,' commandeerde hij.

Svoboda liet zich zonder protest slaan en arresteren. Als slachtoffer was hij misschien wat verbaasd over deze behandeling, maar er waren zoveel van zijn voorouders zonder reden geslagen en gearresteerd, dus piekerde hij maar niet al te veel over wat er aan de hand waś. Hij wist nog steeds niet wat voor nieuw gezag de mannen vertegenwoordigden, maar vanwege hun gedrag twijfelde hij niet langer aan hun officiële status. Hij ging rustig met hen mee, denkend aan zijn horloge. Dat was het enige wat hem echt pijn deed.

De leidinggevende SA-man op het bureau was een Sudetenduitser die vloeiend Tsjechisch sprak; desondanks begreep hij niet veel van het verhaal van Svoboda. Maar hij zag wel dat de arme stumper nog minder gevaarlijk was dan een schaap. Uit ijdelheid vertelde de klager maar niet van het pak slaag dat hij had gekregen van dit lompe voortbrengsel van een inferieur ras. De officier concludeerde dat de arrestatie een geval van overdreven ijver was geweest. Hij had zelfs een beetje te doen met de grote kerel die maar bleef jammeren over zijn horloge, en hij had hem het liefst laten gaan. Maar vanwege de jarenlang ingehamerde nationaalsocialistische doctrine kon hij alleen maar mechanisch denken en was hij zelfs bij zo'n klein incident bang om op eigen houtje te handelen. Hij besloot om Svoboda die nacht vast te houden en de zaak de volgende ochtend op te nemen met de commandant.

Svoboda werd naar een andere ruimte gebracht en kreeg te horen dat hij op de brits mocht slapen. Hij ging liggen en al snel sliep hij. Hij droomde dat de dochter van de stationschef hem maar op zijn hoofd bleef slaan met een enorm gouden horloge en schrok wakker. Hij besloot de weduwe de volgende dag te vragen om dat op te zoeken in haar dromenboek.

Helaas vergat Svoboda zijn droom voordat hij achter de betekenis kon komen, want hij werd die dag niet vrijgelaten. Nadat hij de gevangene een paar minuten had ondervraagd, nam Kogelkop zijn twee vrienden apart en fluisterde: 'Dit is onze man.'

7
.

Meneer Vesely

Meneer Vesely was in Praag toen de kolonel werd gearresteerd. Na de gespannen uren van de Duitse inval reisde hij terug met de trein van tien over zeven zonder ook maar enig idee van wat er in de tussentijd met zijn beste vriend was gebeurd. Op het station zocht hij naar Svoboda om zijn bagage te dragen. Maar Svoboda zat nog bij de weduwe te wachten op de opkopers. Meneer Vesely liet zijn spullen door de baanwachter in het kantoor van de stationschef neerzetten.

De stationschef was uiterst voorkomend tegen de gedistingeerde oude heer. Om persoonlijke redenen maakte hij geen melding van de arrestatie van de kolonel. Meneer Vesely ging nietsvermoedend naar huis, nam een bad en nuttigde zijn avondmaal. Jan, zijn bediende, klusjesman en huisknecht, zou voor hem door het vuur gaan, maar hij achtte het gepast om pas te spreken als zijn huisheer hem iets vroeg. En meneer Vesely was die avond allesbehalve spraakzaam. Peinzend over de gebeurtenissen in Praag zat hij stiller dan ooit aan de grote eetkamertafel. Het leek Jan beter om niets te zeggen, hoewel hij wist van de arrestatie van de kolonel.

Na het eten luisterde de oude heer een tijdje naar de radio. Toen rekte hij zich uit, liep naar het dressoir en dronk zoals altijd voordat hij naar bed ging een glaasje sterke walnotenbrandewijn. Hij was op weg naar zijn slaapkamer toen hij bedacht dat hij een paar dagen langer was weggebleven dan waarop de kolonel had gerekend. Jan was net binnengekomen om de ramen dicht te doen.

'Heeft de kolonel nog naar me geïnformeerd?' vroeg meneer Vesely, een geeuw onderdrukkend.

En toen vertelde Jan wat er was gebeurd. Meneer Vesely stond een paar ogenblikken sprakeloos, als aan de grond genageld. Toen haastte hij zich naar de hal en trok zijn met bont afgezette jas aan. Jan vermoedde wat hij van plan was.

'Het heeft geen zin om naar de politie te gaan, meneer.' Hij beschreef de gebeurtenissen van die avond op het Masaryk-plein.

'In dat geval,' zei meneer Vesely, 'wil ik dat je naar meneer Novotny gaat en hem zegt dat ik hem dringend wil spreken.'

De advocaat was net terug uit het hotel waar hij zijn excuses had overgebracht. Kogelkops vriendelijke aanbod dat hij altijd een beroep op hem kon doen, klonk nog steeds als muziek na in zijn oren. Gezien de omstandigheden was hij allesbehalve blij dat hij werd ontboden door meneer Vesely. Hij wist dat Vesely de beste vriend van de kolonel was en het was niet moeilijk om te raden waarom hij hem op dat tijdstip nog wilde spreken.

De advocaat had net zijn vrouw verteld hoe hij zich in de

gunst van de bezetter had weten te wurmen. Hij was niet bepaald een man die zijn nek zou uitsteken voor iemand die ervan werd beschuldigd dat hij een complot had gesmeed tegen de held van de nieuwe heersers. Maar Vesely was in het stadje iemand met wie je rekening moest houden, en zijn verzoek kon niet zomaar worden afgewezen.

'We hebben bezoek,' zei hij tegen Jan. 'Ik kom zo gauw ze zijn vertrokken.' Dat gaf hem de tijd om de kwestie te bespreken met zijn omvangrijke vrouw, met wie hij altijd overlegde inzake gewichtige aangelegenheden.

Jan wist dat de gasten verzonnen waren omdat er geen jassen in de vestibule hingen. Maar dat vertelde hij niet aan meneer Vesely, want hij had zijn huisheer nog nooit zo van streek gezien en hij wilde zijn zorgen niet nog groter maken. De oude heer ijsbeerde tijdens het wachten op de advocaat door zijn werkkamer en rookte de ene sigaar na de andere.

Hij was een indrukwekkende verschijning. Lang, gezond en sterk. Op het eerste gezicht zou je hem geen dag ouder dan vijftig schatten, hoewel hij al ruim in de zestig was. Hij stond nog steeds om zes uur op en reed het hele jaar door elke ochtend vier uur paard. De krachtige berglucht had hem een blozend uiterlijk gegeven. Hij had zijn hele gebit nog, op twee of drie kiezen na, en hij had geen bril nodig. Een krans van wit, enigszins warrig haar tooide zijn kale schedel en ging over in volle bakkebaarden. Hij had geen snor, en dat – samen met zijn bediende, zijn paardrijden en het feit dat hij gescheiden was – zorgde ervoor dat de inwoners van de stad hem nogal excentriek vonden. Hij had weinig gemeen met zijn vriend de kolonel, afgezien van zijn permanente eenzaamheid en zijn geringe spraakzaamheid.

Er werd in het stadje volop over hem geroddeld. Iedereen meende wel een of ander romantisch en licht pikant verhaal over hem te kennen, en deze verzinsels werden fluisterend doorverteld. In werkelijkheid wist niemand iets over hem, en ongetwijfeld wakkerde dat de verbeelding alleen maar aan. In de loop der jaren transformeerden de roddels de gedistingeerde, intelligente, maar volstrekt onromantische oude heer in een echte don juan. In een stadje waar iedereen iedereen kent, riekte alleen al het feit dat hij 'zonder duidelijke reden' drie of vier keer per jaar een paar dagen weg was naar romantische verwikkelingen. In werkelijkheid verveelde de oude man zich gewoon. Hij leidde een comfortabel leven en zijn pensioen verschafte hem een zekere mate van bewegingsvrijheid, dus had hij besloten om elke zomer een korte vakantie te nemen en twee of drie keer per jaar naar Praag te gaan.

Eén keer hadden de burgemeester en zijn vrouw, tijdens een verblijf van twee weken in Karlsbad, hem daar gezien, in het gezelschap, zoals ze ademloos vertelden, van een 'zwaar opgemaakte jonge vrouw'. De zwaar opgemaakte jonge vrouw was in werkelijkheid ruim boven de veertig. 'Maar ze mocht er wezen,' zei de burgemeester dan, ondeugend met zijn tong klakkend als zijn vrouw niet in de buurt was. En de vrouw van de burgemeester fluisterde tegen haar vriendinnen als er geen mannen in de buurt waren: 'Ik bedoel, wat voor vrouw wil er nu gezien worden met zo'n oude viezerik?' Wat de burgemeestersvrouw precies met dat 'viezerik' bedoelde, is niet geheel duidelijk.

De 'zwaar opgemaakte jonge vrouw' werd een plaatselijke legende, helemaal nadat de advocaat en zijn vrouw meneer Vesely in een Praags theater hadden gezien met een vrouw die aan dezelfde beschrijving voldeed. Mevrouw Novotny en de burgemeestersvrouw gingen in conclaaf en kwamen tot de slotsom dat het dezelfde vrouw moest zijn geweest als in Karlsbad. Daarna twijfelde niemand er nog aan dat de Zwaar Opgemaakte Jonge Vrouw de geheime liefde van meneer Vesely was en de ware reden achter zijn regelmatige reisjes.

Desondanks stond meneer Vesely hoog in aanzien in het stadje. Hij had er sinds zijn jeugd gewoond, en iedereen kende en respecteerde hem. Alleen was er die kwalijke affaire. Niets kon hem daarvan zuiveren. Meneer Vesely zelf wist niets van alle roddels. Hij stond volkomen onverschillig tegenover wat er in het stadje over hem werd verteld en om die reden werd hij nooit echt populair, zoals de kolonel. Als hij ergens verscheen, viel er altijd even een stilte.

Meneer Vesely en de jonge Fiala waren op hun zesde naar dezelfde school gegaan en sindsdien waren ze vrienden gebleven. Hij probeerde het te verbergen, maar de portierszoon voelde zich een beetje opgelaten over hun verstandhouding, want zijn vriend was een aristocraat, de zoon van een luitenant bij de dragonders die zich van het leven had beroofd toen het kind pas drie was. Over de zelfmoord deden ook talloze geruchten de ronde. Sommigen zeiden dat de luitenant, hoewel hij getrouwd was, de vrouw van zijn kolonel had verleid. Anderen beweerden dat hij een spilzieke gokker was geweest en zelfmoord had gepleegd vanwege zijn schulden. Hoe dan ook, de weduwe was zonder een cent achtergebleven met drie kinderen en een toelage die nauwelijks toereikend was geweest voor een vrijgezelle luitenant. Hoewel de vaderloze officierszoon betere kleren had en in een fraaier huis woonde dan de zoon van de portier, had hij het aanzienlijk minder breed dan zijn vriend. Desondanks was er maatschappelijk een wereld van verschil tussen hen, en alleen hun hechte vriendschap had die kloof kunnen overbruggen.

Ze kwamen tegelijk van school en gingen allebei aan het werk in de porseleinfabriek, maar meneer Vesely groeide veel sneller door en klom veel hoger op dan zijn vriend. Toen de oorlog uitbrak en Fiala er nog steeds van droomde om hoofdboekhouder te worden, was meneer Vesely al assistent-manager en zo onmisbaar voor het bedrijf dat hij werd vrijgesteld van militaire dienst.

Ze hadden nooit echt moeite met hun ongelijke status, maar hun verschil in afkomst drukte zelfs na een halve eeuw vriendschap nog op de ziel van de kolonel. Hoewel hij er nooit over sprak, was meneer Vesely zich hier terdege van bewust. Al vanaf hun jeugd bejegende hij de zoon van het proletariaat met een bijna overdreven hoffelijkheid, waarin de kolonel hem trachtte te overtroeven. Deze rigoureuze beleefdheid, die tot het uiterste werd volgehouden, gaf hun vriendschap een vreemd soort koelheid. Een buitenstaander die hen in het café beleefdheden zag uitwisselen, zou hen als oppervlakkige kennissen hebben beschouwd. Toch wisten beiden alles wat er over de ander te weten viel en waren ze zich ervan bewust hoezeer ze aan elkaar verknocht waren, al spraken ze er nooit over. Hun vriendschap bevatte, net als brood, geen suiker.

Met bezwaard gemoed wachtte Jan in de vestibule, waar hij meneer Vesely rusteloos heen en weer kon horen benen. Na een tijdje nam de onrust van zijn meester ook bezit van de vriendelijke jonge boerenzoon. Zijn handen begonnen te beven. Toen meneer Novotny kwam, kon hij hem nauwelijks uit zijn jas helpen.

'Maak alstublieft voort, meneer,' zei hij, zoals een bezorgde verwant van een zieke een arts aanspoort. Voordat hij naar binnen ging, trok de gedrongen advocaat zijn gezicht recht, alsof het een stropdas was. Hij probeerde ernstig en aangedaan te kijken. Maar dat was een vergissing. Vesely was van het norse, mannelijke slag, en hij kon slecht tegen dergelijk emotioneel vertoon. De lucht was muf van de sigarenrook. Ergens was meneer Novotny het wel eens met zijn vrouw, die niet toestond dat er in háár huis gerookt werd.

In gewichtige bewoordingen begon de advocaat omstandig verslag te doen van de gebeurtenissen. Meneer Vesely was vanaf het begin achterdochtig. De man draaide te veel om de zaken heen. Meneer Vesely wist niet precies waarom, maar bij de woorden van Novotny werd hij onwel.

'Als privépersoon,' zei Novotny, 'beschouw ik de aanklacht als volstrekt ongefundeerd. Maar als jurist moet ik erkennen dat er voldoende bewijsmateriaal is om die te schragen.'

Allemaal geheel juist. Allemaal geheel objectief. Maar het kon meneer Vesely helemaal niets schelen of de kolonel wel of niet had geprobeerd Hitlers trein op te blazen. Het ging hem er alleen om dat hij weer zo snel mogelijk op vrije voeten kwam. Volgens zijn morele en religieuze principes was het volstrekt toelaatbaar om iemand op te blazen die anders vroeg of laat de hele wereld zou opblazen. Maar ook als de kolonel was beschuldigd van een poging tot moord op zijn eigen moeder, zou Vesely alles in het werk hebben gesteld om hem vrij te pleiten.

De advocaat nam zijn toevlucht tot allerlei juridische details. 'De SA'ers, mijn beste, zijn slechts een bestuursinstantie van de machthebbers, zonder juridisch gezag. In paragraaf 263 (x) van het wetboek van strafrecht wordt specifiek vermeld dat alleen door bevoegde autoriteiten een vervolging kan worden ingesteld. Derhalve zal de zaak vroeg of laat worden voorgelegd aan een bevoegd tribunaal, waar we uitgebreid de gelegenheid krijgen om de onschuld van de kolonel te bewijzen – natuurlijk vooropgesteld dat hij daadwerkelijk onschuldig is.'

Meneer Novotny sprong van statuut naar statuut, als een jongen die tikkertje speelde in het park. Naarmate hij meer op dreef kwam, verscheen er ook steeds meer zweet op zijn voorhoofd.

'Geld speelt geen rol,' zei meneer Vesely plotseling, omdat hij niets beters wist in te brengen.

'In dat geval,' zei de advocaat zichtbaar opgelucht, 'stel ik voor dat u een prominenter advocaat inschakelt, iemand die meer gespecialiseerd is in strafzaken. Natuurlijk… u begrijpt… dat ik buitengewoon gesteld ben op de verdachte… maar… u begrijpt ook dat ik slechts een onbeduidende advocaat uit een klein stadje ben.'

De oude heer hoorde het allemaal zwijgend aan. Hij maakte geen tegenwerpingen en stelde geen vragen. Hij leunde achterover in zijn stoel, blies wolken rook uit en staarde naar het plafond. Toen de transpirerende advocaat eindelijk uitgesproken was, richtte meneer Vesely zich vriendelijk tot hem.

'Even tussendoor,' vroeg hij, 'bent u van Duitse afkomst?'

'Duits?' reageerde de advocaat. 'Hoe kunt u dat nu vragen? Ik wil niet opscheppen, maar ons geslacht is een van de oudste van Bohemen.'

'Aan beide kanten?' vroeg de oude heer op dezelfde vreemde toon.

'Zeker,' zei de advocaat trots. 'Mijn voorouders aan beide kanten zijn in elk geval al vanaf 1526 in hart en nieren Tsjechisch.'

Meneer Vesely wist dat dat inderdaad het geval was. Iedereen in het stadje wist alles van iedereen – sterker nog: er was bijna niemand in de streek tegenover wie Novotny niet had gepocht over zijn stamboom. Maar meneer Vesely ging genadeloos verder: 'Geen joden in de familie?'

'Joden?' snoof de advocaat verontwaardigd. 'In mijn familie? Ik begrijp echt niet…' begon hij. Daarna viel hij even stil, sprakeloos van opwinding. 'Hoe kunt u zo'n… zo'n… opmerkelijke vraag stellen?'

'Ik vroeg het me alleen maar af,' antwoordde de oude heer cryptisch. Hij tikte de as van zijn sigaar en stond met een raadselachtig glimlachje op. 'Uitstekend, meneer Novotny. Dank u wel.'

De advocaat stond ook op, hij had verder niets meer in te brengen, en liep naar de hal. Halverwege bleef hij staan, alsof hij nog iets wilde zeggen. Enerzijds voelde hij zich diep beledigd, en hij was niet van plan om dat zomaar over zijn kant te laten gaan. Als het zo gespeeld werd, kon hij die viezerik net zo goed eens flink de waarheid zeggen. Maar tegelijk voelde hij zich sterk geneigd om recht te zetten wat hij naar het zich liet aanzien flink had verprutst. De zaak was hiermee vermoedelijk nog niet afgedaan, en het had geen zin om vijanden te maken. Inwendig verscheurd stond hij midden in de kamer, zoekend naar de juiste woorden.

Meneer Vesely was niet geïnteresseerd in de tweestrijd waarin Novotny verwikkeld was.

'Pak meneers jas, Jan,' beval hij kort, en hij besteedde verder geen aandacht aan de advocaat.

Hij wachtte tot zijn bezoeker was vertrokken, trok zijn overjas aan en verliet het huis om een advocaat in Praag te bellen die hij kende. Omdat hij wist dat het postkantoor om zes uur sloot, ging hij direct naar de woning van de directeur van de posterijen om gezien de ernst van de situatie toestemming te verkrijgen om te bellen. De directeur kon hem echter alleen maar mededelen dat een en ander onmogelijk was omdat zelfs overdag persoonlijke gesprekken alleen waren toegestaan na toestemming van de SA.

De oude heer liep door het duister. Hij kon niet vruchteloos naar huis terugkeren, hij moest iets ondernemen. Hij kwam tot de slotsom dat hij tot de volgende dag niets kon doen, maar desondanks bleef hij doelloos door de verlaten straten dolen. Het geluid van zijn voetstappen op de keien veroorzaakte een onnatuurlijke weerkaatsing in de roerloze, ijzige stilte. De kleine huisjes leken in rust verzonken, maar overal achter de donkere ramen zag hij gezichten opduiken die hem nastaarden. De rust was die avond in het stadje ver te zoeken.

Op het Masaryk-plein aanbeland liep hij naar het politiebureau. Hij trok aan de bel. De slaperige wachtpost nam de late bezoeker onderzoekend op. Toen hij de reden van het bezoek van meneer Vesely vernam, sloeg hij met een vloek de deur voor zijn neus dicht. Meneer Vesely liep naar het tegenovergelegen hotel en ging bij een raam zitten dat uitkeek op het politiebureau, alsof hij zijn vriend zo hoopte te kunnen steunen.

Het hotel was gesloten, alleen in de lobby brandde nog een lamp. Maar de hotelhouder was nog op. De arme man had sinds de SA'ers er hun intrek hadden genomen geen oog meer dichtgedaan. Meneer Vesely bestelde een karaf bisschopswijn en een doos sigaren. Hij trok het gordijn opzij en staarde tot het ochtendgloren naar het politiebureau aan de overkant. Tegen die tijd was hij zowel door de wijn als door de sigaren heen.

De hemel boven het Masaryk-plein leek op een te hoog opgestookte kachel. Donkere, roodomrande wolken schoten in de gure wind voorbij. Het was ijzig koud. De sneeuw op het plein had een kilblauwe glans. Plotseling viel er een gat in de wolken en werd het kruis op de kerktoren overgoten door een stralende lichtbundel.

De oude man stond op en liep over het plein naar de kerk. Later zou hij beweren dat hij op weg was naar de dokter, maar er moet nog een andere reden zijn geweest. Op dat tijdstip sliep dokter Burian nog; en als hij al behoefte had gehad aan doktersadvies, had hij alleen maar de straat uit hoeven lopen. Maar waarom zou je vraagtekens zetten bij iemands motivatie om naar de kerk te gaan?

De dokter verscheen op zijn gebruikelijke tijdstip. Hij

vertelde meneer Vesely wat de Duitsers met de kolonel hadden gedaan. Meneer Vesely zei niets, maar tijdens het aanhoren van het verhaal knepen zijn lippen zich samen. Toen de arts klaar was met zijn relaas, nam meneer Vesely abrupt afscheid en maakte aanstalten om te vertrekken. Maar de arts liet zijn hand niet los en hield hem tegen.

'Waar gaat u heen?'

'Naar het politiebureau.'

'Dat is pure tijdverspilling, ze laten u toch niet binnen.'

'Dat weet ik,' zei meneer Vesely droogjes. 'Maar ik zal er binnenkomen, al is dat het laatste wat ik doe.'

De arts wist met wie hij van doen had. Je kon hoog of laag springen, maar als meneer Vesely zoiets zei, dan deed hij het ook. Maar er zou ongetwijfeld ophef ontstaan, en dat wilde hij voorkomen. Dokter Burian concludeerde dat het waarschijnlijk het beste was als hij naar het politiebureau ging om een onderhoud tussen meneer Vesely en de kolonel aan te vragen. Op het moment dat hij tot die slotsom was gekomen, was hij zo opgewonden dat hij weer de steken in zijn hart voelde die hij maar al te goed kende.

Daar gaan we weer, dacht hij, en hij hield nog steeds de hand van meneer Vesely vast. Uit gewoonte voelde hij zijn pols. Wat een krachtige polsslag, dacht hij. Terwijl hij hooguit vier of vijf jaar jonger is dan ik. Wat is die man sterk! Wat is hij gezond! Terwijl ik… Er schoot een steek door zijn hart. 'Verontrustend,' zei hij. 'Behoorlijk verontrustend.'

Hij was daar het liefst alleen geweest om bij het altaar te knielen zoals hij altijd deed voordat er andere bezoekers kwamen, om alles van zich af te kunnen zetten, inclusief de dood. Dat zou hem het liefst zijn geweest, maar hij deed precies het tegenovergestelde.

'U gaat terug naar het hotel en nuttigt daar het ontbijt,' zei hij op zijn professionele, rustige toon. 'Ik ga naar de politie en zorg ervoor dat u een onderhoud wordt toegestaan.'

Alleen al bij de gedachte begon zijn hart wild te bonzen, maar tegelijk kwam er een zekere rust over hem.

Bij het politiebureau aangekomen dacht hij in eerste instantie dat ze hem op wel zeer ongepaste wijze bij de neus wilden nemen. Kogelkop bood hem een stoel en sigaretten aan.

'Gisteravond,' zo verklaarde hij opgewekt, 'hebben we de echte dader gepakt. Het doet me dan ook veel plezier dat we de kolonel' – met plotselinge nadruk op zijn rang – 'weer op vrije voeten kunnen stellen.'

Kogelkop was oprecht opgelucht dat hij de kolonel kon vrijlaten. Svoboda leek dé oplossing voor zijn problemen; hij hoefde er nu alleen nog maar voor te zorgen dat de zaak zo snel mogelijk in de vergetelheid raakte. De vrijlating van 'de trots van de stad' was de eerste stap. Die eerste stap was voor de aanklager een grotere opluchting dan voor de verdachte, want laatstgenoemde was niet meer in staat tot gevoelens van opluchting of woede. Het was eerder zijn wilskracht dan dat het zijn benen waren die hem aan de arm van de arts uit het politiebureau wist te leiden.

Bij de deur stond meneer Vesely hen al op te wachten. Hij was nauwelijks in staat om bij de aanblik van de kolonel zijn ontzetting te onderdrukken. De kolonel probeerde naar zijn vriend te glimlachen, maar gaf die poging al snel op. De paar stappen over het plein dat de twee vrienden al zo vaak samen hadden overgestoken, leken nu een eeuwigheid te duren. Hoewel ze hem aan beide kanten ondersteunden, moest de kolonel om de paar passen even halt houden. Het duurde een halfuur voordat ze hem naar zijn kamer hadden gebracht. Vervolgens kostte het nog wel enige moeite om hem uit te kleden en in bed te stoppen.

De arts vertrok om medicijnen te halen. Meneer Vesely hield de wacht naast het bed van de kolonel. En toen deed hij iets wat hij in hun vijftigjarige vriendschap nog nooit had gedaan: hij streelde het voorhoofd van de kolonel. De kolonel deed opnieuw een poging om te glimlachen.

'Het stelt niets voor,' zei hij moeizaam. 'Hoe was het in Praag?'

Daarna raakte hij buiten bewustzijn.

8
·
Svoboda voelt het tochten

Svoboda zat een beetje hulpeloos met het grote getypte vel papier te spelen dat Kogelkop hem had gegeven.

'Kannie lezen, edelachtbare,' gaf hij uiteindelijk toe met een onnozele grijns.

'Kun je ook niet schrijven?'

'Kannie schrijven, edelachtbare.'

'Zet dan maar een kruisje achter je naam.'

'Kannie tekenen, edelachtbare.'

'Dan zal ik het voordoen. Kom maar hier.'

'Ja, edelachtbare.'

Er was verder niemand in de kamer. Kogelkop doopte zijn pen in de inktpot en langzaam, omzichtig, alsof hij een klein kind lesgaf, liet hij hem zien hoe en waar het kruis getekend moest worden. 'Snap je het een beetje?'

'Ja, edelachtbare.'

Kogelkop riep een SA'er en een Tsjechische politieagent binnen als getuige dat 'voornoemde Svoboda' het desbetreffende document had getekend en gezegeld.

Svoboda had een volledige bekentenis ondertekend,

waarin hij verklaarde dat hij de avond van de 14de maart
– de avond waarop hij samen met de weduwe op de opkopers had gewacht – met voorbedachten rade de spoorbrug
had ondermijnd met explosieven die hij uit het stations-
magazijn had gestolen, met de bedoeling om de trein op te
blazen waar de Führer in zat, aan wie hij een hartgrondige
hekel had.

Kogelkop begreep dat hiermee de zaak niet officieel afgesloten was. Hij wist dat zelfs Duitse rechters de beklaagde soms zelf nog weleens wilden horen; hij wilde hen liever
niet met extra werk opzadelen. Dus bedacht hij dat hij de
zaak zelf zou afhandelen, zonder verdere poespas. Natuurlijk verleende zelfs het Duitse recht hem die bevoegdheid
niet, maar Kogelkop had een oplossing bedacht waarmee
hij de wet niet zou overtreden. Zonder verdachte geen aanklacht en zonder aanklacht geen rechtszaak. Als de beklaagde, die een volledige bekentenis heeft ondertekend,
bij een vluchtpoging zou worden doodgeschoten, wordt de
zaak automatisch gesloten. De rechtsgeldige bekentenis
afgelegd in bijzijn van getuigen en het onderzoeksrapport
van de officier zouden naar het hoofdkwartier worden gestuurd. Die worden met typisch Duitse punctualiteit gelezen, opgeborgen en gerubriceerd. Het dossier krijgt het
stempel ERLEDIGT, dat 'gesloten' betekent.

De arme Svoboda had niet het flauwste vermoeden dat
hij was *erledigt*. Dankzij het gratis ontbijt dat hij had gekregen voelde hij zich prima. Omdat hij toch nooit iets zou
verdienen aan de trein van zes uur veertig, bedacht hij dat
zijn arrestatie tot nu toe pure winst was geweest. Zijn enige
reden tot klagen was de gebroken ruit in zijn cel. Niet dat

hij het koud had, maar hij was bang dat het zou gaan toch-
ten wanneer de deur openging. Voor de rest was alles goed.
Soms werd een man nu eenmaal gekoeioneerd, of opgesloten, of in het leger gestopt. Dat moest je gewoon accepte-
ren.

Hij vroeg zich alleen af waarom ze zo'n ophef maakten
over een blikken klokje. Natuurlijk had hij die kerel die
van het gezag bleek te zijn een klap gegeven; maar toen had
die gezaghebber zijn klokje stukgemaakt en moest hij zijn
mond houden. Hoe had hij in 's hemelsnaam kunnen weten dat die gezaghebber een gezaghebber was? Als hij niet
was teruggekomen met een vuurwapen en hem lens had geslagen, had hij het nooit geloofd. Wat stelde dat gezag van
ze nu voor? Schei toch uit! Neem nou die vent met die kogelkop. Hij zou de chef moeten zijn, maar hij spreekt nog
slechter Tsjechisch dan hijzelf, Slowaak en gewoon staats-
burger. En die gezaghebber die hem had geslagen kende
geen woord Tsjechisch. Hoe kon in vredesnaam een man
die geen Tsjechisch kent een gezaghebber in Tsjecho-Slowakije zijn?

Vaag herinnerde hij zich dat voor de oorlog, en ook tijdens, een buitenlander het land had geregeerd. Een Oostenrijker of zoiets, met bakkebaarden zoals de kerstman,
en hij heette Franz Joseph. Svoboda had de militaire eed
van trouw aan de oude baas afgelegd. Hij had zijn plicht
vervuld. Wat had hij anders kunnen doen? Maar toen stierf
de oude man en nam een of ander familielid de boel over –
een keurige jongeman met een snorretje, hoe die ook heten
mocht. Nu moest Svoboda weer trouw aan hem zweren.

Maar de jongeman kwam in de problemen. Hij bleek

geen Tsjechisch te spreken. Hij kon de Tsjechen niet verstaan en zij verstonden hem niet. Ze ontsloegen de jongeman met het snorretje en toen werd meneer Masaryk de eh… nou ja, hij werd een soort koning. Dat vond Svoboda allemaal best; hij zwoer ook trouw aan meneer Masaryk.

Maar wat voerden ze nu in hun schild, met al dat geklets in het Duits? Je zou haast denken dat de oude kliek terug was. Maar dit waren niet dezelfden. Svoboda had de chef de vorige avond gevraagd of hij in dienst was van de Oostenrijkse koning. Nee, had die man gezegd, hij was geen Oostenrijker maar een Duitser, en zijn baas heette Hitler. Tot zover alles goed. Maar toen zei de chef dat de Oostenrijkers nu ook Duitsers waren. Probeer daar maar eens chocola van te maken! Maar wat kon het hem ook schelen, dat waren zaken voor het gezag. Een arme man was een arme man, onder Franz Joseph of onder meneer Masaryk – hoewel meneer Masaryk tenminste nog een Tsjech was. Het zag ernaar uit dat Svoboda een nieuwe eed moest afleggen, maar dat was hem allemaal om het even. Als ze zijn klokje maar konden repareren!

Terwijl Svoboda de nieuwe omstandigheden probeerde te bevatten, kwam Kogelkop langs. Hij ging naast Svoboda op de brits zitten en gedroeg zich meer als een oude vriend dan als gezaghebber.

'Tegen mij kun je vrijuit praten,' zei hij. 'Ik wil je helpen. Zeg maar wat je op je hart hebt.'

Ontroerd door de sympathieke woorden vertelde Svoboda hem alles over het klokje.

Kogelkop had een goede reden om zo aardig te doen. De sergeant had net het bevel gekregen om op het hoofdkwartier verslag uit te brengen aan zijn meerdere. Kogelkop, die hoopte voor het vertrek van de sergeant de zaak te kunnen afsluiten, stond opeens onder grote tijdsdruk. Hij was hier om Svoboda mee te nemen naar de 'plaats delict' voor nader verhoor in aanwezigheid van de sergeant.

Dat onderzoek was uit voorzorg, voor het geval dat iemand zou twijfelen aan de bekentenis van de dode misdadiger. Kogelkop kon dan een beroep doen op de sergeant in wiens aanwezigheid de beklaagde op de plaats delict schuld zou hebben bekend. De sergeant verstond geen woord Tsjechisch. Svoboda kennende wist Kogelkop zeker dat zijn plan zou slagen.

'Zie je dit horloge om mijn pols?' vroeg hij, toen hij eindelijk Svoboda's onsamenhangende verhaal over het klokje had kunnen ontraadselen.

'Dat zie ik, edelachtbare.'

'Nou, als je je goed gedraagt, mag je het hebben.'

Svoboda's hart sprong op. Het horloge was al zo goed als van hem. Als dat het enige was wat hij ervoor hoefde te doen, zou hij zich voorbeeldig gedragen. Zijn grote, weke hart liep over van dankbaarheid. Het horloge was natuurlijk kleiner en platter dan dat van hem, en dat was wel een beetje een domper. Maar het kon voor iedereen zichtbaar om de pols gedragen worden en dat maakte alles goed. Svoboda viel op zijn knieën en probeerde krampachtig Kogelkops hand te kussen.

Nooit is een misdadiger zo vrolijk naar de plaats delict gegaan. Svoboda grijnsde van oor tot oor toen ze er in de vrachtwagen heen reden. Kogelkop porde hem in zijn zij: 'Je moet je wat passender gedragen,' waarschuwde hij met een zijdelingse blik naar de sergeant. 'Er is een hoge officier bij.'

Svoboda trok gehoorzaam zijn begrafenisgezicht. En dat was niet makkelijk, want telkens wanneer hij het horloge van Kogelkop zag, danste zijn hart van vreugde.

Toen ze bij de spoorbrug aangekomen waren, legde Kogelkop in het Duits uit hoe de verdachte precies te werk was gegaan bij het ondermijnen ervan. Zo nu en dan wendde hij zich tot Svoboda en deed net alsof hij in het Tsjechisch herhaalde wat hij net de sergeant had verteld. Maar in werkelijkheid stelde hij vragen die niets met het vermeende misdadige plan te maken hadden. Svoboda antwoordde met ja of nee. De cynische kalmte van de beklaagde werd de sergeant te veel.

'*Verdammter Schweinehund!*' brulde hij.

Maar Svoboda verstond geen Duits. Zijn gedachten waren uitsluitend bij Kogelkops horloge, waar hij voortdurend met een verrukte blik naar stond te loeren.

Toen ze terug waren op het Masaryk-plein had de sergeant een razende honger. Hij wilde rechtstreeks naar het hotel en vroeg of Kogelkop met hem meeging. Maar Kogelkop had dringender zaken te doen.

'Bestel maar vast,' zei hij. 'Ik kom er zo aan.' En hij voegde daar nog aan toe: 'Laten we een tafeltje bij het raam nemen.'

Meteen had hij spijt van deze opwelling. Zijn plan was om Svoboda te laten ontsnappen terwijl de sergeant zat te eten en hem dan op het moment dat hij naar buiten kwam dood te laten schieten vanuit een raam op de bovenverdieping. Als de sergeant bij het raam zat, kon dat hem met geen mogelijkheid ontgaan. Mocht het nodig zijn, dan kon hij opgeroepen worden om te getuigen voor Kogelkop. Maar Kogelkop had nooit zo duidelijk moeten laten blijken dat hij wilde dat de sergeant daar zou gaan zitten. Hij besefte dat die opmerking hem zeer verdacht zou kunnen maken. Daar kon hij nu niets meer aan doen. Verdomme! Van de zenuwen had hij zichzelf even niet in de hand gehad.

Hij ging het politiebureau binnen en zei tegen de SA'ers dat ze mochten gaan eten. Maar ze kwamen irritant langzaam op gang en Schmatz ging helemaal niet. Zuinig als hij was pakte hij een broodje salami uit zijn zak en begon dat op te eten. Kogelkop werd onrustig. Gelukkig zat de man achter in het gebouw en keek hij uit op de binnentuin. Voor alle zekerheid liet Kogelkop een van zijn medeplichtigen hem in de gaten houden. De andere medeplichtige greep zijn machinepistool en koos positie in een van de kamers aan de voorkant, vlak bij de hoofdingang. Van daaruit kon hij het doelwit makkelijk raken. Alles was tot in de puntjes voorbereid.

De torenklok sloeg twaalf uur. Kogelkop maakte een laatste ronde langs alle kamers om te kijken of de kust echt veilig was. Daarna ging hij naar Svoboda's cel. Terwijl de gevangene de plaats delict bezocht, had een van Kogelkops kameraden het slot onklaar gemaakt, zodat het zou lijken dat de voortvluchtige het opengestoken had. Toen ze Svoboda terugbrachten, klemden ze de deur met een wig dicht. Kogelkop haalde de wig weg en ging naar binnen.

Svoboda sprong met een innemende grijns op van zijn brits. Hij was in een goed humeur.

'Ik gedraag goed, edelachtbare?'

'Hartstikke goed,' verzekerde Kogelkop hem, en hij gaf hem een klap op zijn rug.

'Ik krijg horloge?'

'Krijg je.'

'Wanneer ik krijg, edelachtbare?'

'Straks.'

Svoboda straalde. Kogelkop was bang dat hij weer gekust zou worden.

'Steek er eentje van me op,' zei de SA'er ongeduldig. Svoboda nam een sigaret aan, maar weigerde een vuurtje.

'Heren eerst,' zei hij.

'Hoe bedoel je, heren?' zei Kogelkop en hij gaf hem een vriendelijk schouderklopje. 'We zijn toch allemaal mensen?'

'Ja, edelachtbare. Wij mensen.'

Svoboda stak de sigaret echter niet op. Hij stopte de sigaret achter zijn oor voor later. Hij zou hem waarschijnlijk verkopen aan een van de postbeambten wanneer hij daar de gelegenheid voor kreeg.

'Ga zitten,' zei Kogelkop.

Svoboda gehoorzaamde. Kogelkops pols zat vlak onder zijn neus. Wat een horloge, dacht hij. Wat een horloge! Hij probeerde zich voor te stellen dat het om zijn eigen pols zat. Hij was uitzinnig van blijdschap.

'Is er iets wat je heel graag zou willen?' vroeg Kogelkop.

Svoboda aarzelde. Hij had inderdaad een wens, maar hij wist niet zeker of hij die wel moest uitspreken uit angst dat hij daarmee het horloge zou mislopen. Het was ook niet zo belangrijk. Maar omdat Kogelkop zo aardig deed besloot hij het toch maar te vertellen – hij had er tenslotte naar gevraagd.

'Iets wat ik graag wil, edelachtbare.'

'Voor de draad ermee!'

Svoboda vertelde dat die stomme opkopers niet op waren komen dagen, hoewel ze hadden geschreven dat ze zouden komen.

'Vraag me af of iets gebeurt,' zei hij. 'Ik wil weduw vragen.'

'Is die weduwe jouw vriendin?' vroeg Kogelkop die niet veel van zijn verhaal had begrepen.

'Ja, edelachtbare.'

'En nu wil je haar graag spreken?'

'Graag.'

Kogelkop krabde op zijn hoofd.

'Officieel kan ik je geen toestemming geven,' zei hij. 'Maar aan de andere kant…' Hij stond op en knipoogde naar Svoboda. 'We zijn allemaal mensen, nietwaar?'

'Ja, edelachtbare,' zei Svoboda en zijn hart smolt van dankbaarheid. 'Wij mensen.'

Kogelkop verliet de cel zonder de wig weer aan te brengen.

Svoboda was zuinig, maar voor deze ene keer – wat kon het hem ook schelen? – stak hij de sigaret op, van pure opwinding. Toch was zijn bloeddruk níet gestegen door wat Kogelkop had gesuggereerd. Svoboda had dat gewoon niet begrepen. De enige reden voor zijn opwinding was dat hij dacht dat het horloge bijna van hem was.

Hij zat daar verliefd te dromen en wolkjes rook uit te blazen. Plotseling voelde hij iets bijzonder onaangenaams.

Hij vergiste zich niet: het tochtte. Hij keek en zag nu pas dat de celdeur openstond. Hij stond op, deed hem dicht en keerde terug naar zijn brits en zijn dromen. Maar de deur zwaaide weer open. Vloekend deed hij hem weer dicht. En hij ging voor de derde keer open. Svoboda begon geïrriteerd te raken.

Ten slotte liep hij de gang in op zoek naar iemand die zijn cel op slot kon doen. Maar er was niemand te zien. Hij keek in de eerste kamer: leeg! Hij probeerde alle kamers, een voor een. Uiteindelijk kwam hij bij de kamer achterin waar Schmatz en Kogelkop zaten en iemand die hij niet kende.

'Pardon,' zei hij voorzichtig. 'Sorry dat ik lastigval. Alstublieft, misschien celdeur mag op slot? Tocht hard, ik ziek.'

Kogelkop was razend. Hij stoof op en gaf Svoboda twee kletsen om zijn oren. Al stompend bracht hij hem terug naar zijn cel. Maar dat was zonde van zijn energie. Zijn mooie plannetje was helemaal mislukt.

De sergeant kwam terug van zijn lunch. Schmatz vertelde hem bulderend van de lach dat de gevangene had gevraagd of 'alstublieft misschien' de deur op slot mocht. De sergeant moest zo hard lachen dat de tranen over zijn wangen rolden. Wanneer een dwaas een nog grotere dwaas tegenkomt, kan hij zijn lol niet op.

'Nou zeg,' kreunde hij met een van de lach verstikte stem. 'Die kerel is zo dom dat ik die bekentenis van hem nauwelijks kan geloven.'

Kogelkop zei niets. Hij slenterde naar de andere kamer. Zijn kameraden volgden hem kort daarop en met z'n drieën zaten ze er treurig bij. Wat moesten ze nu doen? Na wat er was gebeurd zou niemand geloven dat die grote aap van plan was om te ontsnappen. Die stomme sergeant begon zelfs al aan zijn bekentenis te twijfelen.

'Wat een puinhoop!'

Kogelkop vloekte luid. Toen stond hij op en liep naar het raam. Eerst was hij verblind door zijn eigen wanhoop. Langzaam drong er iets tot hem door wat hem nog ongeruster maakte. Er liepen opvallend veel mensen richting het hotel. Hij kende ze allemaal van gezicht. Het waren dezelfde mensen die hij twee avonden daarvoor had bestolen.

'Moet je nou eens zien!' riep hij uit.

Zijn kameraden kwamen naast hem bij het raam staan.

'Dat lijkt me weer zo'n delegatie voor het een of ander,' zei een van hen schertsend. Maar de anderen keken steeds ernstiger.

'Wat zouden ze deze keer nu weer moeten?'

'Stommeling!' schreeuwde Kogelkop. 'Hoe moet ik dat weten? Denk je dat ze mij dat komen vertellen?'

Maar zijn woede was vergeefs.

'Wat een puinhoop!' zei hij na een tijdje nog maar een keer.

Dat scheen hem te kalmeren. Hij stuurde een van zijn mannen erheen om te kijken wat er aan de hand was.

Die kwam even later terug, zichtbaar opgelucht.

'Niets ernstigs,' verklaarde hij. 'Ze komen alleen afscheid nemen. De kolonel is stervende.'

'Weet je zeker dat ze je niet… maar wat wijsmaakten?' vroeg Kogelkop onzeker.

'Ik ben niet gek,' zei de ander beledigd. 'Ik zag de priester naar binnen gaan.'

Kogelkop begon te ijsberen, leek zich nauwelijks bewust van zijn omgeving en slikte zijn sigaret bijna in wanneer hij een trek nam. De mannen begrepen niet waarom dat bericht zo'n effect op hem had. Plotseling bleef hij staan.

'Luister,' fluisterde hij. 'Als de kolonel echt doodgaat, zijn we gered.'

De twee ondergeschikten begrepen er niets van, maar Kogelkop had geen tijd om het uit te leggen.

'We hebben geen moment te verliezen,' zei hij korzelig. 'Ik moet een schrijfmachine hebben.'

9
·

Voordat de zon ondergaat

Na de tweede injectie kwam de kolonel weer bij bewustzijn. Zijn hand bewoog even toen hij meneer Vesely en de
dokter herkende die naast zijn bed zaten. Een flauwe glimlach verscheen om zijn lippen.

'Ik deed even een dutje,' mompelde hij, alsof hij zich ge-
neerde dat ze hem hadden betrapt.

Het was elf uur 's morgens, drie uur nadat ze hem thuis
hadden gebracht. De kolonel was al die tijd bewusteloos
geweest, hoewel hij dacht dat hij alleen weggedoezeld was.
Hij vroeg om een glas water en nam een paar slokjes.

'Heb je het leuk gehad in Praag?' vroeg hij zijn vriend.

Even kwam er wat leven in hem. Hij was spraakzaam.
Het was duidelijk dat hij niet veel belang hechtte aan zijn
toestand. Behalve een oorlogswond had hij nooit iets ernstigs gemankeerd. En de jicht die hem twee of drie keer per
jaar het bed deed houden was gewoon een erfenis van de
loopgraven.

'De Duitsers schijnen mij meestal weinig goeds te bezor-
gen,' grapte hij met zwakke stem, en de twee oude mannen

lachten ongemakkelijk. Daarna nam de kolonel zijn drankje en de dokter bracht een nieuw verband aan. Dat vermoeide de patiënt. Zijn oogleden werden zwaar en enkele minuten later, terwijl ze nog tegen hem praatten, viel hij in een diepe slaap. De dokter stond zachtjes op en gebaarde dat meneer Vesely hem moest volgen.

Op de gang bleven ze staan. Sinds ze de kolonel hadden thuisgebracht hadden ze nauwelijks een woord gewisseld. De arts was druk bezig geweest met zijn patiënt en meneer Vesely had zwijgend toegekeken. Hij had niet aan de dokter gevraagd hoe ernstig de kolonel eraan toe was en dat vroeg hij hem nu ook niet. Gespannen zwijgend pakte hij een sigaar.

'Mag ik er ook een?' vroeg de dokter.

Meneer Vesely wist dat dat een slecht teken was. Vanwege zijn hart rookte de arts nooit.

Er was verder niemand in de gang. Beneden in het café klonk het gekletter van vaatwerk; een dienstmeid zong schel in de keuken; iemand klopte een kleedje in de achtertuin. De twee mannen rookten zwijgend hun sigaar. De geluiden buiten versterkten de stilte om hen heen. De zon scheen door het raam naar binnen en trok een gouden streep door de blauwe rookwolken. Onder hen kwamen de sneeuwhopen nog steeds tot borsthoogte, maar de zon begon al warmer te worden. IJspegels kletterden met veel kabaal van het dak af; smeltwater stroomde over de dakrand naar beneden. De lente deed eindelijk zijn intrede.

De dokter trok harder aan zijn sigaar.

'Ik zou maar een priester laten komen,' zei hij met schorre stem.

Zelfs de lippen van meneer Vesely werden bleek.

'Is het… Is het…' stamelde hij.

De dokter kwam dichter bij hem staan.

'Hij heeft nog maar een paar uur,' fluisterde hij, alsof hij bang was dat de kolonel hem kon horen. Daarna draaide hij zich om. 'Het zoontje van de hotelhouder heeft kinkhoest. Ik moet even bij hem langs.' Hij wist niet hoe gauw hij weg moest komen.

Meneer Vesely keek hem na. Hij wist dat het zieke kind niet de reden was waarom de arts zo'n haast had, want hij zag hem het herentoilet in gaan. Volgens mij huilt hij, mompelde meneer Vesely in zichzelf, terwijl hij de kolonel nog maar vijfentwintig of dertig jaar kende, en ze elkaar zelden vaker dan één of twee keer per week zagen.

Meneer Vesely's ogen waren droog. Langzaam kregen zijn wangen weer wat kleur. Maar zijn ademhaling haperde. Even had hij het gevoel dat hij stikte. Hij gooide zijn sigaar weg en ging de kamer van de kolonel weer in. Op zijn tenen liep hij naar het bed en ging zitten zonder iets te zeggen.

De kolonel lag vredig te slapen. Zijn arme gepijnigde lichaam lag verborgen onder de dekens; het verband op zijn achterhoofd was ook niet te zien en er waren geen bloeduitstortingen in zijn gezicht. Hij zag er net zo uit als anders. Zijn ademhaling was krachtig en gelijkmatig. En toch was het nog maar een kwestie van enkele uren…

Meneer Vesely pakte de hand van de slapende man. Wat was die warm! Vol leven! Daar lag zijn vriend, hij leefde en haalde adem. Als hij nu wakker werd, zou hij zeker glimlachen. Hij zag, hij hoorde, hij voelde nog. Toch zou hij over enkele uren… Meneer Vesely trok zijn boordje los. Hij kreeg het weer benauwd.

Hij werd bevangen door een dierlijke angst, een nare, waanzinnige paniek. Zoals de paniek die mannen voelen in een gezonken duikboot, wachtend tot de zuurstof op is. Hij zat op de bodem van de zee, te wachten… op wat? Was er niet iets… wat dan ook… wat hij kon doen om de kolonel nog een beetje geluk te schenken, voordat het te laat was?

Plotseling schoot hij overeind. Het leek een dwaas, kinderachtig plan. Maar nu het eenmaal post had gevat in zijn gedachten, kon hij zich er niet van losmaken. Er stond ook iets over in de Bijbel, zo probeerde hij het voor zichzelf te rechtvaardigen… Wat was dat ook alweer?

Langzaam vormden de woorden zich in zijn hoofd: *Gezegend is hij die zijn geliefde mag aanschouwen eer de zon ondergaat.*

Ja, de kolonel zou Jarmilla nog moeten zien voordat… voordat de zon onderging.

Hoewel ze er nooit over hadden gesproken, wist hij dat de kolonel nog steeds verliefd op haar was. Meneer Vesely had die verliefdheid altijd met een milde, lichte ironie bekeken, want in tegenstelling tot de kolonel had hij de liefde gekend, voor zover die ooit gekend kan worden. Hij was zelf niet romantisch aangelegd, maar hij wist dat zijn vriend eerder verliefd was op een hardnekkig droombeeld dan op de werkelijke, onbeduidende Jarmilla. Ze zou uit zijn gedachten verdwenen kunnen zijn, dacht meneer Vesely soms, wanneer hij een vrouw had leren kennen van wie hij had kunnen houden. Maar misschien was het zijn onvermogen om Jarmilla te vergeten, realiseerde hij zich nu, dat de kolonel had verhinderd om een ander te vinden. Eerst had hij gewacht tot hij aangesteld werd als hoofdboekhouder. Daarna had hij gewacht op een wonder – een scheiding, of wat dan ook. Uiteindelijk verwachtte hij niets meer. Hij was alleen nog maar verliefd. Verliefd zoals een vogel zingt, zonder een beloning te verwachten, terwijl de andere partij van niets weet. Wat zou hij zijn oude vriend nu voor mooiers kunnen schenken, dacht meneer Vesely, dan een laatste blik op haar, eer de zon onderging?

Maar hoe bracht hij haar bij hem? Welke smoes kon hij gebruiken? Sinds haar trouwen hadden ze elkaar nauwelijks gezien. Zou hij haar nu verklappen wat de trieste oude man zijn hele leven verborgen had gehouden? Nee, dat was onmogelijk.

Maar wanneer hij alle notabelen uitnodigde bij het sterfbed van de kolonel, zou hij zonder enige verdere uitleg de vrouw van de hoofdboekhouder kunnen vragen. Haar man was op de fabriek en zou niet terug zijn voor zeven uur tien. Er bestond een grote kans dat ze alleen zou zijn. Maar stel dat ze niet thuis was? Stel dat ze de stad uit was? Meneer Vesely wachtte ongeduldig.

Eindelijk kwam de dokter terug.

'Kan ik hem laten scheren?' vroeg meneer Vesely kortaf.

De arts keek hem verbaasd aan. Hij kon geen reden bedenken waarom de patiënt juist nu geschoren moest worden. Maar hij was een wijs man. Hij stelde geen vragen en knikte alleen instemmend.

Meneer Vesely haastte zich naar beneden, zei tegen de portier dat hij niemand mocht binnenlaten tot hij terug was en stuurde de barbier naar boven. Toen bestelde hij een koets en ging alle notabelen langs. Hij vroeg hun allemaal om over een uur langs te komen, ervan uitgaand dat Jarmilla tegen die tijd haar bezoek wel zou hebben afgerond. Natuurlijk was het niet zijn bedoeling om zijn zieke vriend aan al die bezoekers bloot te stellen. Zodra Jarmilla weg was, zou hij wel een smoes bedenken: 'Het spijt me dat ik u hiermee heb lastiggevallen, maar de toestand van de patiënt…' Enzovoort.

Binnen enkele minuten was hij al bij alle notabelen langs geweest. Het laatst bezocht hij de pastorie. In droge, afgemeten bewoordingen, alsof hij een zakenafspraak maakte, vroeg hij ook de priester om over een uur te komen. Maar toen hij vertrok, sloeg de priester zijn armen om hem heen. Ze hadden met z'n drieën bij elkaar in de klas gezeten.

Hij haastte zich terug naar het rijtuig.

'Naar de hoofdboekhouder, en snel,' drong hij bij de voerman aan.

'Ja, meneer.'

De paarden steigerden even en galoppeerden daarna schuimbekkend door de smalle straatjes. De mensen staarden het rijtuig bevreesd en verbaasd na. Ten slotte kwam meneer Vesely aan bij het huis van de hoofdboekhouder.

Hij ademde zwaar. Toen meneer Vesely op de bel drukte, herinnerde hij zich dat, telkens wanneer ze daarlangs kwamen, de kolonel altijd opvallend vrolijk begon te praten, heel anders dan normaal. Destijds had meneer Vesely er in zichzelf om geglimlacht. Hij wist dat de goede man stiekem de buurt bezocht in de hoop op een 'toevallige' ontmoeting met Jarmilla. Maar toen de hoofdboekhouder en zijn vrouw hem hadden uitgenodigd om te komen eten, had hij zich laten verexcuseren.

Een slordig gekleed dienstmeisje deed open.

'Is de heer des huizes thuis?' vroeg meneer Vesely ongeduldig.

'Nee, meneer.'

'En de vrouw des huizes?'

'Die is thuis.'

Meneer Vesely slaakte een zucht van opluchting. Het meisje bracht hem naar een overvolle, burgerlijk ingerichte salon. Hij was er nog nooit eerder geweest. Jarmilla begroette hem verrast. Hij vertelde haar wat er was gebeurd. Ze hield haar hoofdje bevallig schuin en zei met haar hoge monotone stem: 'Ach, wat sneu!'

Ze klonk als een klein meisje dat een vriendinnetje troostte dat een onvoldoende voor haar Latijn had gehaald, vond meneer Vesely. Plotseling voelde hij een blinde haat jegens haar opkomen. Wat had ze voor bijzonders dat die arme man zijn hele leven door haar geobsedeerd was geweest?

'Kleine' Jarmilla was nu in de vijftig. Haar dochter had zojuist haar verloving bekendgemaakt. Maar ze was opmerkelijk goed geconserveerd en zag eruit als vijfenveertig. In tegenstelling tot de meeste vrouwen in de provincie was ze niet dik geworden. Ze was een elegante verschijning, meisjesachtig bijna, en rond haar ogen waren nauwelijks kraaienpootjes te zien. En waarom zou het ook anders zijn, bedacht meneer Vesely met dezelfde onverklaarbare haat. Wat had ze eigenlijk meegemaakt? Ze had twee kinderen gebaard, maar dat was dan ook alles.

Jarmilla probeerde meelevend en diep ontroerd over te komen. Ze had echt met de kolonel te doen. Maar toen ze hoorde dat alle notabelen, onder wie de burgemeester en zijn vrouw, ook zouden komen, vergat ze van opwinding alles om haar heen.

'Ik moet me even omkleden,' riep ze uit. 'Wacht u op me?'

'Ja, ik wacht,' zei meneer Vesely, nauwelijks in staat om zijn irritatie te verbergen. 'Maar haast u zich, alstublieft.'

'Ja, natuurlijk.'

Jarmilla spoedde zich de kamer uit en even later hoorde meneer Vesely haar vitten op de dienstmeid. 'Schiet nou toch op. Snap het dan! De kolonel ligt op sterven.'

Er verstreek een kwartier, daarna een halfuur. En Jarmilla was zich nog steeds aan het omkleden. In de salon liep meneer Vesely driftig te ijsberen. Hij moest zich inhouden om de fraai bewerkte stoelen niet tegen de spiegel te smijten. Ten slotte klopte hij op de deur.

'Wilt u alstublieft opschieten?'

'Ja, natuurlijk,' antwoordde Jarmilla. 'Neemt u mij alstublieft niet kwalijk. Het is zo'n slome meid. Ze kan niet eens een jurk dichtknopen.'

Toen ze eindelijk was omgekleed, konden ze vertrekken. In het rijtuig zei ze nog eens met haar hoofdje schuin: 'Ach, wat sneu!'

Meneer Vesely wist zeker dat ze vooral dacht aan de burgemeester en zijn vrouw, die ze al zo lang eens persoonlijk wilde ontmoeten. Het was duidelijk dat haar enige zorg was om er op haar best uit te zien. Meneer Vesely wierp een blik vol haat op haar. Ze was net een stuk hout bekleed met gekleurde lappen stof. Maar, bedacht hij verbitterd, een vlag is ook niet meer dan een stuk hout met een gekleurde lap stof, en moet je eens zien hoeveel mannen bereid zijn om er hun leven voor te geven!

Toen ze bij het hotel aankwamen, waren de priester en bijna alle genodigden er al. Meneer Vesely verontschuldigde zich kort voor de vertraging en ging met Jarmilla snel naar boven. Hij vroeg haar om op een stoel in de gang even te blijven wachten en ging naar binnen.

De kolonel was weer in slaap gevallen. De dokter zat op de rand van zijn bed en hield een stethoscoop tegen zijn hart. Meneer Vesely vroeg of hij even alleen mocht zijn met zijn vriend.

Toen de arts de kamer uit was, maakte meneer Vesely de kolonel wakker.

'Wie denk je dat er op de gang zit?' vroeg hij.

De kolonel keek hem glazig aan.

'Wie dan?' vroeg hij ongeïnteresseerd.

Meneer Vesely boog zich naar hem toe.

'Jarmilla!' fluisterde hij opgewonden.

Meteen verscheen er weer kleur op de wangen van de kolonel. Zijn ogen begonnen te schitteren.

'Jarmilla?' vroeg hij, waarbij zijn hoofd iets van het kussen kwam. Zijn stem had bijna zijn oude kracht herwonnen.

'Ze zit op de gang. Ze wil je graag spreken.'

'Maar waarom?' vroeg de kolonel, nieuwsgierig geworden. 'Wat is er aan de hand?'

Meneer Vesely wist dat hij met het juiste antwoord

moest komen, anders zou zijn vriend hem doorhebben. Hij kwam nog iets dichterbij en sloeg de kinderlijke toon aan waarop ze vijftig jaar eerder 'geheimen' hadden uitgewisseld.

'Stel je voor,' fluisterde hij en hij schrok van zijn eigen stem. 'Ze gaat scheiden.'

De leugen was ter plekke geboren, onvoorbereid en onbevlekt verwekt.

De kolonel ging rechtop zitten.

'Scheiden?'

De stem en de ogen van de stervende man waren opeens heel levendig.

'Inderdaad,' zei meneer Vesely zachtjes. 'Maar laat niet merken dat je op de hoogte bent.'

'Van mijn levensdagen niet,' fluisterde de kolonel, die ook al de toon overnam van een jongen die het over de bloemetjes en de bijtjes heeft. 'Maar wat komt ze hier dan doen?' vroeg hij plotseling.

Meneer Vesely antwoordde niet meteen. Hij keek de kolonel aan alsof hij wilde zeggen: moet je dat aan mij vragen? Maar hij zei alleen: 'Ze wil je spreken.'

Het gezicht van de kolonel straalde een en al vreugde uit. In al die jaren van hun vriendschap had Vesely hem nog nooit zo zien stralen.

'Zal ik haar binnenlaten?' vroeg hij.

De kolonel knikte, maar toen meneer Vesely opstond pakte hij zijn hand. 'Wacht even. Wil je mijn scheerdoos even aangeven?'

De kolonel was net geschoren. Hij vroeg alleen om zijn scheerdoos omdat hij het gênant vond om rechtstreeks om een spiegel te vragen. Meneer Vesely begreep het en gaf hem de doos waarin de scheerspullen zaten, onder andere een spiegel, een borstel en een kam, haarwater en knevelwas. De kolonel had die tien jaar daarvoor van meneer Vesely gekregen. Hij zette de doos op het nachtkastje, wachtte niet af tot de kolonel erom vroeg, maar pakte er de borstel, de kam en de spiegel uit.

De kolonel keek hem verlegen aan en moest glimlachen. Hij keek met een kwajongensblik in de spiegel, borstelde en kamde zijn haar, en draaide zijn grote, sneeuwwitte snor op.

'Klaar?' vroeg meneer Vesely.

'Klaar,' zei de kolonel, verlegen en opgewonden als een jongeman die zijn eerste stap naar het echte leven zet.

Meneer Vesely liep de gang in en wenkte Jarmilla. Op dat moment kwamen er zes sa'ers de gang in rennen en versperden hun de weg.

'Staan blijven,' commandeerde Kogelkop. 'De kolonel heeft ons ontboden.'

'Niemand heeft jullie ontboden,' zei meneer Vesely kortaf. 'Laat de patiënt met rust.'

Kogelkop was niet in de stemming voor een discussie.

'Neem hem mee,' beval hij.

Drie mannen stapten op meneer Vesely af.

'Blijf uit mijn buurt!' riep meneer Vesely. Hij balde zijn vuisten, al zijn opgekropte woede kwam opeens boven.

Zelfs de sa'ers waren even overdonderd.

'In 's hemelsnaam geen schandaal!' smeekte Jarmilla.

Daardoor kwam hij weer tot bezinning. Hij wist dat als hij niet meteen tot bedaren kwam, hij iets zou doen waar hij eeuwig spijt van zou hebben.

'Goed,' zei hij, zichzelf tot kalmte dwingend.

Onder begeleiding van drie sa'ers liepen Jarmilla en hij naar de lobby. Kogelkop en zijn kameraden gingen de kamer van de kolonel binnen.

Ongeveer tien minuten later was hun bezoek afgelopen. Toen Jarmilla en meneer Vesely teruggingen naar de kamer van de patiënt, was de kolonel overleden.

Jarmilla was er, maar de kolonel kon haar niet meer zien.

'Sluit zijn ogen,' zei meneer Vesely rustig, op bijna bevelende toon. Daarna bleef hij zwijgend staan.

De opwinding van het laatste moment viel niet van het gezicht van de kolonel af te lezen. Hij lag erbij alsof hij vredig sliep na een dag hard werken. De punten van zijn mooie witte snor waren naaldscherp; stiekem had hij, nadat zijn vriend de kamer had verlaten, met knevelwas zijn snor nog wat opgedraaid.

10

Erledigt

Kogelkop stelde een officieel rapport op over de dood van de kolonel: 'Op 16 maart 1939, om 12 uur 45, kwam een manspersoon – ongeveer dertig jaar oud, arbeidersvoorkomen – naar het politiebureau en vertelde de dienstdoende SA'er dat kolonel Fiala, wetende dat zijn einde naderde, de bevelvoerende officier wilde spreken, omdat hij een bekentenis wilde afleggen. De identiteit van de manspersoon is onbekend, want toen de dienstdoende SA'er was teruggekomen van de kamer van zijn commandant, was hij verdwenen. Even voor één uur begaven vijf SA'ers, wier namen hieronder vermeld, zich met hun bevelvoerder naar het verblijf van de kolonel in hotel Gods Oog. Alle noodzakelijke voorzorgsmaatregelen werden genomen: drie mannen vatten post in de gang. De commandant en twee mannen, wier namen hieronder vermeld, gingen de kamer van de kolonel binnen. De patiënt was inderdaad stervende. Een priester wachtte in de lobby om het laatste oliesel te kunnen toedienen. Toen de stervende man de drie SA'ers zag binnenkomen, ging hij rechtop in bed zitten en zei hij, met een duidelijk bezwaard gemoed: Ik wil alles bekennen. Vervolgens dicteerde hij met zijn laatste krachten een volledige bekentenis, opgenomen in appendix iv (a) van dit rapport. Toen hij deze bekentenis had ondertekend, gingen de drie getuigen weg. Een paar minuten later overleed de kolonel.'

De bekentenis was ook opgesteld in Kogelkops uiterst precieze, formele schrijfstijl: 'In de nacht van de 14de maart, toen iedereen in het hotel in diepe rust was, stond ik op van mijn ziekbed. Omdat ik de gang van zaken in het hotel in de meer dan twintig jaar dat ik er had gewoond door en door had leren kennen, kon ik weggaan en terugkomen zonder dat iemand mijn afwezigheid had opgemerkt. Omdat er die avond een sneeuwstorm woedde, waren de straten verlaten en kwam ik niemand tegen. Ik ging naar het spoorwegstation en wekte de zwakbegaafde kruier die doorgaans in de wachtkamer slaapt. Ik zei tegen hem dat ik mijn kostbaarheden wilde begraven om te voorkomen dat de Duitsers die zouden stelen. Vanwege de huiveringwekkende verhalen die over Duitse wreedheden de ronde deden in het dorp trok de kruier – toch al zwakbegaafd – mijn verhaal niet in twijfel. Op mijn verzoek haalde hij de kist explosieven, die Praag ten behoeve van wegwerkzaamheden enkele dagen eerder had geleverd, uit de opslagruimte en bracht die naar de spoorbrug. Als voormalig officier met gevechtservaring was ik natuurlijk bekend met de techniek van het plaatsen van explosieven en kon ik de nietsvermoedende kruier de juiste instructies geven. Het was mijn bedoeling om de brug de volgende dag op te blazen, wanneer de trein van de Führer eraan kwam, en daarmee het sein te geven voor een algemene opstand tegen de Duitse bezetting.'

Alsof dit allemaal nog geen doorslaggevend bewijs was, volgde er nog een nadere toelichting op de bekentenis: 'Hoe belachelijk het plan, dat alleen ontsproten kon zijn aan het brein van een seniele oude man, ook mag klinken, het werd ongetwijfeld serieus genomen door de bedenker ervan, zoals blijkt uit het feit dat hij de volgende ochtend een grootse demonstratie organiseerde naar het gedenk-teken van de Onbekende Soldaat van Tsjecho-Slowakije met de bedoeling om zijn patriottistische beweging van de grond te krijgen. Onderzoek heeft uitgewezen dat hij geen medeplichtigen had, wat de kolonel herhaaldelijk bena-drukte. Op zijn sterfbed had de oude man spijt van zijn daad en betuigde zijn berouw in emotionele bewoordingen waarvan de oprechtheid boven elke twijfel verheven is – want, ook al was hij een vroom katholiek, hij weigerde het laatste oliesel totdat hij zijn geweten had ontlast. Hij weet zijn misdaad aan de leugenachtige, gewetenloze anti-Duit-se propaganda, die geholpen door de joodse pers, jaren-lang het Tsjechische volk heeft misleid. In zijn laatste le-vensuur gaf hij uiting aan zijn diepste dankbaarheid en bewondering jegens de dappere Duitse SA'ers, wier niet-aflatende waakzaamheid de uitvoering van zijn duivelse plan had voorkomen.'

Wat betreft Svoboda was het rapport klip-en-klaar: 'Aangezien hij zwakbegaafd is, kan hij op geen enkele ma-nier verantwoordelijk worden gehouden voor een misdaad waarvan hij, naar later bleek, geen weet had. Toen de be-kentenis van de kolonel hem werd voorgelezen, kon hij zich bovendien niet herinneren dat hij op de 14de maart bij de spoorbrug was geweest. Eén ding is zeker: de ongelukkige dwaas had geen enkel vermoeden dat de kolonel hem had gebruikt. Zelfs na een uitgebreide uitleg ging het allemaal zijn verstand te boven.'

De rol van Svoboda in het geheel had iets tegenstrijdigs. Ook al was hij onschuldig, toch had hij geholpen de misdaad voor te bereiden. Kogelkop besloot dat het definitieve oordeel over dit onderdeel van de zaak zijn bevoegdheid te boven ging. Daarom regelde hij dat Svoboda naar Praag werd getransporteerd onder begeleiding van een SA'er, om aan de juiste instanties voorgeleid te worden.

Svoboda's 'voorgeleiding' was eigenlijk alleen maar een smoes om iemand van het driemanschap met de gestolen kostbaarheden naar Praag te sturen omdat Kogelkop die liever niet langer in de buurt wilde hebben. Hij was niet bang dat Svoboda hem in de problemen zou brengen, want iedereen die vijf minuten de rossige reus meemaakte zou er meteen van overtuigd zijn dat hij een hopeloze sukkel was. Het hoofdkwartier zou alleen maar geïmponeerd zijn door Kogelkops uiterst zorgvuldige behandeling van de zaak.

Svoboda was niet echt verbaasd toen ze hem vertelden dat hij weer eens een treinreis moest maken. Zo was het leven. Het gezag zette arme drommels nu eenmaal van tijd tot tijd op transport. De vorige keer was dat het Oostenrijkse gezag geweest, op bevel van de keizer met de Kerstmanbakkebaarden. Toen brachten ze hem naar het slagveld. Toen hij doorzeefd was met granaatscherven, vervoerden ze hem terug naar het ziekenhuis. Deze keer was het waarschijnlijk een idee van die Hitler. Dan moest hij opnieuw trouw zweren aan iemand en dat vond Svoboda allemaal best. Hij was nog steeds gek op stoomtreinen en was blij dat hij een rit mocht maken.

Eén ding zat hem nog wel dwars: wat zou die kogelkopmeneer tegen hem hebben? Dat wist je nooit bij het gezag. Eerst beloofde hij hem een horloge en vervolgens vermoordde hij hem bijna. Daar kon je toch geen touw aan vastknopen? Nou ja, luidde de conclusie van Svoboda's discussie tussen zijn lichaam en zijn geest, wat maakt het ook uit? Daar moest je maar aan wennen. Het viel niet mee om een arme drommel te zijn.

Een kort maar uiterst beleefd briefje werd tegelijk met een kopie van het rapport voor de commandant van de genie met de sergeant meegegeven. Het briefje deed de klacht van advocaat Novotny af als 'een voorbeeld van de doorzichtige en gewetenloze middelen waar de Tsjechische nationalisten zich van bedienen. Op de vraag hoe serieus de klacht genomen moet worden vormen de excuses van de klagers het beste antwoord.'

Voordat de sergeant vertrok, gaven de sa'ers in de privéeetzaal van Gods Oog een mannenfeestje. Het was vijf uur 's middags. Het café ernaast zat vol voor het thee-uurtje.

Algauw was de sergeant stomdronken.

'Ik eis een verklaring!' schreeuwde hij en hij sloeg daarbij met zijn vuist op tafel. 'Ik eis een verklaring! Het is onbe-grij-pe-lijk… Waarom zeggen ze in het leger dat sa'ers – mijn broeders! – zulke rotzakken en etterbakken zijn? Ik eis een verklaring!'

Kogelkop kalmeerde hem. Prompt stortte de sergeant

zich in de armen van zijn dierbare kameraad en beklaagde zich luid snikkend over de verloedering van de mensheid. In die staat kwam hij op zijn motor nooit de stad uit. Gelukkig vertrok de SA'er die aangewezen was om Svoboda en de buit naar Praag te brengen met de trein van zeven uur tien. Toen de trein aankwam, hesen ze de sergeant en zijn motor aan boord.

En zo begon een correct opgesteld officieel document aan zijn reis naar Praag. Hoe de handtekening van de kolonel precies was verkregen weten alleen Kogelkop en zijn kameraden. Hij was in elk geval wel echt. Op Kogelkops eigen verzoek vergeleek de burgemeester de handtekening met enkele brieven van de kolonel uit het gemeentearchief en constateerde dat hij echt was. En dokter Burian kon officieel bevestigen dat de kolonel geen gewelddadige dood was gestorven.

Kogelkop had alle reden om in zijn schik te zijn. De zaak was *erledigt*; er was geen sprake van valsheid in geschrifte en er was geen moord gepleegd. Ze hadden zelfs niemand 'tijdens een ontsnappingspoging' doodgeschoten. Het document dat onderweg was naar Praag zou zonder dat er iets mee werd gedaan van bureau naar bureau verhuizen en uiteindelijk in het archief belanden.

Ja, de zaak was gesloten. Maar drie maanden later, toen het stadje de hele geschiedenis begon te vergeten, werd er écht een poging gedaan de spoorbrug op te blazen.

11

Kogelkop verlaat de stad

Enkele dagen na het vertrek van de sergeant overhandigde Kogelkop de bekentenis van de kolonel en alle paperassen die betrekking hadden op de zaak aan de burgemeester 'om die nader te kunnen bestuderen', in de hoop hem daarmee voor zich te winnen, net zoals bij meneer Novotny. De burgemeester was geen held. Hij was een doorsneeburger, gehecht aan zijn comfortabele leventje. Maar hij was ook eerlijk en rechtdoorzee, en in tegenstelling tot de advocaat had hij nimmer vuile handen gemaakt. Hoewel hij precies begreep waar Kogelkop op uit was, zou hij nooit ofte nimmer deel van zijn praktijken willen uitmaken.

Tussen de documenten kwam hij ook de excuusbrief van meneer Novotny tegen. Aanvankelijk kon hij zijn ogen niet geloven. Toen liet hij de klagers bij zich komen en toonde hun het document. Hun nederlaag was nog steeds een open wond en ze krompen ineen wanneer die ter sprake kwam. Ze hadden onder dwang hun klacht ingetrokken. Toch vonden ze het onverdraaglijk dat de advocaat namens hen zijn excuses had aangeboden aan de dieven.

Ongeveer tegelijkertijd vertelde de dienstmeid van mevrouw Novotny aan de kokkin van de burgemeester dat haar meneer en mevrouw, 'de vuile schoften', die 'ellendige Duitse boef' te eten hadden gevraagd. De verbitterde inwoners van het stadje besloten de advocaat en zijn vrouw te negeren. Vanaf dat moment sprak niemand meer met ze. Wanneer zij iemand aanspraken, antwoordde die kortaf en liet ze vervolgens botweg staan. De inwoners meenden dat ze op die manier de 'meeloper' de stad uit zouden krijgen. Tenslotte bepaalden de Duitsers niet welke advocaat ze in de arm namen; in elk geval konden ze hun geen jurist opdringen die ze niet zagen zitten.

Maar de affaire had niet het gewenste resultaat. Enkele dagen later ontbood Kogelkop de burgemeester.

'In de korte tijd dat wij elkaar nu kennen,' zei de SA'er op zijn allervriendelijkste toon, 'ben ik u gaan vertrouwen, en zelfs, als ik zo vrij mag zijn, gaan bewonderen.' De burgemeester stond zwijgend aan zijn hoed te frummelen terwijl Kogelkop vervolgde: 'Daarom, mijn goede vriend, zou ik u een welgemeend advies willen geven. Volgens mij zou het een goed idee zijn om terug te treden als burgemeester en uw positie te laten innemen door meneer Novotny.'

De burgemeester was diep geschokt.

'Dank u wel,' stamelde hij. 'Dat is erg aardig van u, maar waarom adviseert u me dat?'

Kogelkop hield zich op de vlakte.

'Er spelen zekere zaken van hoger staatsbelang mee,' merkte hij geheimzinnig op. 'Een man met uw ervaring zal dat beseffen. Natuurlijk ben ik niet in de positie om te onthullen… eh… en natuurlijk mag u doen wat u goeddunkt.

Ik probeer u alleen een gunst te bewijzen.' Hij zweeg even en toen hij weer het woord nam, had zijn vriendelijke toon plaatsgemaakt voor een officiële, kordate. 'De zaak kan echter geen uitstel lijden. Morgenochtend om acht uur wil ik uw antwoord.'

De gemeenteraad was in rep en roer toen bekend werd wat Kogelkop van hen eiste. Niemand twijfelde eraan dat het 'welgemeende advies' was ontsproten aan het sluwe brein van de volgevreten mevrouw Novotny, die Kogelkop elke dag te eten had en de aan *Ersatz* gewende Germaan volpropte met de fijnste Tsjechische waren. De echte reden was natuurlijk niet zozeer mevrouw Novotny's ambitie als wel Kogelkops eigen voorkeur voor een burgemeester die voor hem zou getuigen, mocht de noodzaak zich voordoen.

Novotny werd de volgende dag als burgemeester geïnstalleerd. De raad had er de hele avond over gedebatteerd, maar was uiteindelijk tot de conclusie gekomen dat ze moesten zwichten. Juridisch gesproken was er geen sprake van dwang. Alle formaliteiten waren strikt in acht genomen. Kogelkop had gewoon een welgemeend advies gegeven. De burgemeester diende persoonlijk zijn ontslag in en gaf als reden zijn zwakke gezondheid op. Meneer Novotny werd met alle gebruikelijke ceremoniën ingehuldigd.

Sinds de dood van de kolonel had meneer Vesely niet goed meer geslapen. Hij stond nu meestal tussen vier en vijf uur op. Op een ochtend ergens aan het eind van de maand reed hij om zes uur langs het hotel. Een Duitse vrachtwagen waarin SA'ers met hun volledige bepakking dicht opeengepropt zaten, stond voor de deur. Meneer Vesely riep de portier.

'Wat is er aan de hand?' vroeg hij.

'De Duitsers gaan weg,' fluisterde de portier enthousiast. En terwijl hij zijn ogen dankbaar ten hemel sloeg: 'Voorgoed!'

Bij dat nieuws begonnen de ogen van de oude heer op een vreemde manier te glinsteren.

'Waar is de commandant?' vroeg hij.

'Die is nog op zijn kamer. De baas heeft hem net de rekeningen gebracht.'

Meneer Vesely stapte af.

'Ik ben zo terug,' zei hij, en hij gaf snel de teugels aan de portier.

Kogelkop was de rekeningen aan het controleren toen er op de deur werd geklopt. De oude heer liep zonder op een reactie te wachten naar binnen.

'Goedemorgen, meneer,' zei de hotelhouder.

Kogelkop keek nauwelijks op.

'Wat is er?' mompelde hij weinig enthousiast, en hij ging door met tellen.

'Ik denk niet dat ik me hoef voor te stellen,' zei meneer Vesely beleefd. 'We hebben elkaar al eens ontmoet.'

Kogelkop keek nog eens op.

'Niet dat ik me kan herinneren,' zei hij ongeduldig, en hij ging verder met zijn rekeningen.

'Laat me dan even uw geheugen opfrissen,' zei meneer Vesely met dezelfde ijzige hoffelijkheid. 'Het was op de 16de maart. U ging bij de kolonel langs om hem een bepaalde bekentenis te laten tekenen.'

Kogelkop legde zijn rekeningen met een dreigende blik neer.

'Wat bedoelt u?' gromde hij.

'Ik friste alleen even uw geheugen op,' zei meneer Vesely met een vreemde glimlach. En toen zei hij heel langzaam, alsof hij wilde dat ieder woord duidelijk overkwam: 'Ik was de beste vriend van de kolonel.'

'Ja, en?'

'Meer dan vijftig jaar.'

'Luistert u eens!' Kogelkop begon boos te worden. 'Ik heb het druk. Kom ter zake of ga weg!'

'Ik denk dat u beter onder vier ogen kunt aanhoren wat ik u te zeggen heb,' merkte de oude heer op. Die vreemd griezelige glimlach trok weer over zijn gezicht. Voordat Kogelkop hem kon tegenhouden, zei hij tegen de hotelhouder: 'Zou u ons even alleen willen laten?'

De hotelhouder ging de kamer uit, maar hurkte voor het sleutelgat. De daaropvolgende conversatie bestond slechts uit twee woorden.

'Wat…' begon Kogelkop.

'Dit!' zei meneer Vesely, en hij raakte hem twee keer met zijn rijzweep.

Kogelkops gezicht zat onder het bloed. Even zat hij er na de onverwachte aanval als verlamd bij. Toen stormde hij woedend op de oude heer af. Maar de zweep knalde weer en raakte hem dit keer in zijn oog, waardoor hij tijdelijk verblind was. Kogelkop greep met zijn linkerhand automatisch naar zijn oog, terwijl hij de rechter afwerend omhoog hield.

'Neem de tijd, ik wacht wel,' zei meneer Vesely minachtend. 'Hier vechten we niet met een man die zich niet kan verdedigen.'

Kogelkop nam zijn toevlucht tot een list. Omdat hij zag dat de oude heer zich aan zijn woord zou houden, draaide hij zich langzaam om, met één hand over zijn oog alsof hij nog steeds niet kon zien, met de bedoeling om het raam open te rukken en om hulp te roepen. Maar meneer Vesely gooide zijn zweep weg en stompte hem met zijn blote vuist in zijn gezicht. Kogelkop viel wankelend tegen de muur.

'Rustig maar!' bulderde meneer Vesely met een griezellach. 'Dit lossen we met z'n tweeën op, als twee Nibelungen-helden. Een duel, begrijpt u?'

Hij kwam weer dreigend naar voren, maar Kogelkop deed een stap opzij en Vesely struikelde over een stoel. Kogelkop griste zijn pistool van de tafel. Meneer Vesely pakte een stoel en sloeg hem daarmee op zijn hoofd. Kogelkop zakte in elkaar en lag met zijn een meter tachtig uitgestrekt op de grond. Maar hij had nog steeds zijn pistool vast en hief zijn hand op om te gaan schieten. Meneer Vesely boorde zijn sporen in de hand van de SA'er en die liet het wapen los. De oude heer pakte het op en sloeg met de kolf tegen zijn kogelronde hoofd tot hij bewusteloos raakte.

De oude heer legde het wapen weg, veegde het bloed van zijn handen en liep de deur uit. Dat deed hij zo op zijn gemak dat het niemand in het hotel opviel dat er iets mis was. Pas toen hij zijn paard had bestegen, verried hij dat hij haast had. Hij galoppeerde met zo'n vaart een zijstraat in dat het vonkte op de kasseien. Hij reed rechtstreeks naar het station en steeg precies op tijd af voor de trein van zes uur veertig. Het zwetende, oververhitte paard keek hem misnoegd na.

Dit speelde zich allemaal af in luttele minuten. De SA'ers voor het hotel hadden er niets van gemerkt, want Kogelkops kamer keek uit op de steeg. De hotelhouder stond in volstrekte paniek bij de deur van de kamer. Eerst wist hij niet wat hij moest doen, maar ten slotte ging hij naar beneden om Kogelkops kameraden te waarschuwen. Samen slaagden ze erin om het bloeden te stelpen, maar ze kregen hem niet bij kennis. Ze wilden er liever geen arts bij halen, uit angst om aandacht te trekken, maar zoals het er nu voor stond hadden ze geen keuze. Ze hielden een spoedberaad achter gesloten deuren. Daarna nam een van hen de hotelhouder apart.

'Luister,' zei hij. 'De *Herr Kommandant* is gestruikeld over het tapijt toen hij de trap af liep en stootte toen zijn hoofd tegen een deurpost. Is dat duidelijk?'

'Ja, meneer.'

'Want wanneer dat niet het geval is,' voegde de SA'er er dreigend aan toe, 'zou u ook weleens over hetzelfde tapijt kunnen struikelen. Begrepen?'

'Ja, meneer.'

Ze vertelden het verhaal over het ongeluk aan de andere SA'ers door en probeerden het zelfs de arts wijs te maken. Maar dokter Burian schoof alleen zijn bril omhoog op zijn voorhoofd en keek de twee boosdoeners met zijn vriendelijke blauwe ogen aan.

'Hebben jullie nog nooit van het beroepsgeheim gehoord, jongens?' vroeg hij kalm. En zonder het antwoord af te wachten concentreerde hij zich weer op zijn patiënt.

Het viel niet mee om hem weer bij te brengen. Kogelkop was er slecht aan toe. Hij lag de hele dag in bed en kon zich niet bewegen. Maar bevel is bevel, en het detachement moest het stadje verlaten. Ze maakten in de vrachtwagen een bed voor de gewonde en om middernacht, toen het stadje in diepe slaap was, reden ze weg.

Meneer Vesely kwam er zonder kleerscheuren van af. De drie boosdoeners beseften dat het niet zo simpel was om met hem in Praag af te rekenen als ze met de kolonel in het stadje hadden gedaan. Ze konden hem niet aangeven bij de autoriteiten uit angst dat de hele affaire opgerakeld zou worden die hen toch al in nieuwe complicaties dreigde mee te sleuren.

Want Praag had voor hen een onaangename verrassing in petto. In plaats van Svoboda vrij te laten hielden de autoriteiten hem vast voor nader onderzoek, en de drie mannen leefden in de voortdurende angst dat ze beschuldigd zouden worden door die sukkel van een kruier. Alles bij elkaar genomen leek het Kogelkop het best om zich gedeisd te houden. Hij trok een sluier over het verleden en vergat voorlopig dat pak slaag.

Meneer Vesely kwam twee weken later terug in het stadje, pakte zijn spullen en vertrok met Jan naar Praag.

De oude vertrouwde rust keerde in het stadje terug. Het bestuur kwam weer in handen van de plaatselijke overheid en langzamerhand raakten de inwoners gewend aan de Nieuwe Orde. Een tijdlang durfden de mensen alleen maar te fluisteren; 's nachts schrokken ze vaak wakker, vooral wanneer er een vrachtwagen langskwam. Toch ebde ook die gespannen sfeer op den duur weg. De hellingen werden groen. De viooltjes die het jaar ervoor waren gezaaid bloeiden nu in de tuinen, en huisvrouwen waren begonnen aan hun jaarlijkse voorjaarsschoonmaak.

De provisorische straatnaambordjes op het Masaryk-plein waren weggehaald en glimmend nieuwe geëmailleerde bordjes gaven eens en voor altijd aan dat dat de ADOLF HITLER-PLATZ was. Natuurlijk bleef iedereen het gewoon het Masaryk-plein noemen, en je zou zelden een man, een vrouw of een kind horen zeggen dat ze naar de ADOLF HITLER-PLATZ gingen. Om de een of andere reden kregen vele inwoners telkens wanneer ze over het plein liepen een hoestbui. Ze begonnen automatisch uitgebreid op de grond te spugen wanneer ze bij de nieuwe geëmailleerde bordjes kwamen. En dat hoesten was vreselijk besmettelijk. Iedereen die in de buurt was kreeg het onmiddellijk te pakken, wat een ware spuugorgie tot gevolg had.

Het waren ongetwijfeld deze hoesters die steeds de bloemen verversten op het graf van de kolonel. Vlak na zijn dood werd bekend dat de Duitse autoriteiten 'vanwege subversieve activiteiten' zijn bescheiden vermogen, dat hij had willen nalaten aan Tsjechische oorlogsinvaliden, hadden geconfisqueerd. Diezelfde avond brachten de hoesters karrenvrachten bloemen en planten, en werkten ze bij lamplicht door tot zonsopgang. De volgende dag was het zondag. Toen de inwoners van het stadje wakker werden, zagen ze een bloemenhaag van de poort van het kerkhof tot aan het graf van de kolonel. Om twaalf uur was er een ware toeloop van pelgrims.

Toch was niet elke man in het stadje een hoester. De oudste zoon van de stationschef, bijvoorbeeld, gedijde uitstekend onder het nieuwe regime. Tot dan toe had de jongeman zich beperkt tot wat rondlummelen en geld achteroverdrukken van zijn vader. Maar nu woonde hij in Praag, had hij een eigen bankrekening en was hij op mysterieuze wijze van de ene dag op de andere opgeklommen tot een invloedrijke positie. Hij werd zelfs genoemd in de Praagse kranten – onlangs nog in verband met het in elkaar slaan van joden – en er werd in die artikelen met buitengewoon veel ontzag over hem geschreven. Maar toen hij begin juni thuis op bezoek kwam, bracht de postbode hem stapels briefkaarten, die in het stadje waren verstuurd, alle met als tekst één woord in blokletters: VERRADER.

De stationschef schaamde zich diep. Hij sprak een hartig woordje met zijn zoon, maar de knaap antwoordde smalend: 'Hoe kan ik nu een verrader zijn? Ik ben vicevoorzitter van de Tsjechische fascistische partij. Weet u niet dat fascisten nationalisten zijn? Hoe kan een nationalist nu een verrader zijn?'

De stationschef had hem natuurlijk kunnen vragen waarom een Tsjechische patriot zo rijkelijk beloond werd ten tijde van een Duitse onderdrukking. Maar hij had zo zijn redenen om dat niet te doen. Toen hij op een dag weer eens zijn gebruikelijke klaagzang afstak, liet hij zich waar zijn zoon bij was ontvallen dat hij niet wist hoe hij aan geld moest komen voor de dokterskosten van zijn vrouw. De jongen pakte zijn portefeuille en gaf hem vijfhonderd mark, alsof hij hem een sigaret aanbood. De oude man dacht aan de briefkaarten en schaamde zich diep. Maar uiteindelijk accepteerde hij het Duitse geld. Zijn landgenoten dreigden zijn meubels te laten veilen als hij niet met geld over de brug kwam.

'Aarzel niet om een beroep op mij te doen wanneer u iets nodig hebt,' zei de jongen bevoogdend.

De stationschef accepteerde zijn geld en daarmee zijn definitie van de fascistische partij.

Algauw viel het de stationschef op dat steeds minder mensen met hem wilden praten. Hij besloot naar Praag te gaan en de zaak tot op de bodem uit te zoeken. Maar daar kwam iets tussen. Zijn jongste zoon, die vlak voor zijn eindexamen stond, werd van school gestuurd en vanwege zijn vermeende communistische ideeën geweerd van alle middelbare scholen in Bohemen. Uit pure wanhoop belde de stationschef zijn oudste zoon, die binnen een week voor elkaar kreeg dat zijn broer werd toegelaten op de beste middelbare school in Praag. De stationschef stelde zijn vragen weer uit.

Nu woonde een groot deel van zijn gezin in Praag, om redenen die zwaar op zijn vaderhart drukten. Zijn oudste zoon was een fascist, zijn jongste een communist, terwijl zijn vrouw…!

Zijn jonge dochter was zijn enige vreugde. Hij aanbad het knappe kind met haar wipneusje, dat zo sterk op haar moeder leek. Er waren van die beangstigende momenten, wanneer ze met z'n tweeën aan de grote eettafel zaten, dat hij het gevoel had dat hij dertig jaar jonger was, pas getrouwd, en dat het leven hem nog toelachte. Toch zat hij voortdurend op haar te vitten en soms sloeg hij haar zelfs. Hij moest zich afreageren en de rest van het gezin was weg. Op die momenten haatte het meisje haar vader hartgrondig. Soms gingen er dagen voorbij zonder dat ze ook maar één woord wisselden.

'Wat is het leven toch ingewikkeld,' verzuchtte de stationschef dan. En vaak droomde hij van de dood, zoals anderen dromen van een welverdiende vakantie.

Langzamerhand pakten de mensen in het stadje hun leven weer op. De grote historische gebeurtenissen waren achter de rug. Soms staken vage geruchten de kop op, die stilletjes van mond tot mond gingen. Dan heerste er een vreemde spanning in het stadje, alsof een ver onweer de lucht vulde met elektriciteit. Maar de werkelijkheid ging verborgen achter de sluier van de censoren, zodat de mensen nooit wisten of er weer onweer op komst was of dat ze alleen de echo hoorden van de radiotoespraken van de bezeten behanger in Berlijn. Ze zetten zelden de radio aan.

'Waarom zouden we?' zeiden ze dan. 'Er is toch nooit goed nieuws.'

Ze werden overspoeld met verordeningen – talloze verordeningen over talloze onderwerpen, die allemaal vertelden wat je niet mocht. Je kon niets in de vuilnisbak gooien zonder het risico op een boete of een celstraf. Ellenlange lijsten met de vele spullen die niet weggegooid mochten worden. Alles van metaal, rubber, glas en wat er nog meer bruikbaar was, moest worden ingezameld voor de wapenindustrie.

Op een dag werd in het café de koffie niet langer met slagroom geserveerd. Het luchtige Tsjechische gebak werd met de dag van slechtere kwaliteit, en het brood werd ten slotte van dezelfde dubieuze ingrediënten gemaakt – alleen bekend bij topscheikundigen – als in Duitsland. Eieren verdwenen van de markt. De kruidenier mat zijn boter even nauwkeurig af als een apotheker zijn gevaarlijke medicijnen: niemand kreeg ook maar iets meer dan de toegewezen portie.

Voedsel werd een allesoverheersend probleem. Zelfs de meest vindingrijke huisvrouw begon zich af te vragen waar ze nu het middageten of het avondmaal van moest klaarmaken. Als ze aan de marktvrouwen vroeg waarom iets niet verkrijgbaar was, staarden de verbitterde boerinnen in de verte, hun blik vervuld van haat.

'Omdat ze het inpikken. Ze pikken alles in.' En dan op zachtere toon: 'Mogen ze dood neervallen!'

12

·

Heil Hitler!

Svoboda werd opgesloten in een Duits concentratiekamp. Hij had geen idee waarom en de kampautoriteiten ook niet. De nazi's hebben dezelfde opvatting over concentratiekampen als plattelandsartsen over wonderolie: als ze geen diagnose konden stellen over de misdaad van een verdachte, stuurden ze hem naar een concentratiekamp, 'voor alle zekerheid'.

Svoboda bracht twee maanden door in het concentratiekamp. Maar toen hij eind mei terugkwam, was hij niet gebroken of vol wrok. Het was alsof hij terugkwam van vakantie. Hij zag er blozend uit, was aangekomen; het ging, kortom, heel goed met hem. Niemand wist precies wat hij daarvan moest denken. Hij droeg met verve een gloednieuw tweedehands kostuum, een das van pure zijde, een keurig jagershoedje en een wandelstok waar hij lustig mee zwaaide tijdens het lopen. Kortom, hij straalde een en al tevredenheid uit. Met zijn rechterarm bracht hij iedereen die hij tegenkwam de nazigroet en zei daarbij op kordate toon: 'Heil Hitler!', dat hij met een bijna volmaakt Pruisisch accent uitsprak.

Tientallen verbijsterde inwoners van het stadje dromden bij het station om hem heen, overstelpten hem met vragen. Voordat hij die beantwoordde haalde hij een massief zilveren klokje uit zijn zak, zwaaide ermee zodat iedereen het kon zien, opende het klepje en merkte zelfvoldaan op: 'Goede tijd gehad.'

Het kamp in het zuiden van Duitsland waar ze Svoboda naartoe hadden gebracht stond wijd en zijd bekend als een duivelse martelkamer. Toch was Svoboda razend enthousiast. Sterker nog: hij was liever niet naar huis gegaan. Hij had de commandanten gesmeekt of hij nog wat langer mocht blijven, maar ze zeiden dat dat slecht uitkwam omdat ze ruimte tekortkwamen. Misschien een andere keer.

Toen ze Svoboda's enthousiaste relaas hadden aangehoord, vroeg iemand uit het ontvangstcomité of het waar was dat gevangenen bijna doodgeranseld werden. Ja, zo gaf Svoboda toe, er stak wel iets van waarheid in die berichten, maar het was niet zo erg als iedereen dacht. Het was iets wat er gewoon bij hoorde. Zo deden ze die dingen daar nu eenmaal. En als de eerwaarde – een katholieke priester uit Praag en een heel aardige man – ertegen kon, dan moest Svoboda dat toch ook kunnen? Afranselingen waren er aan de orde van de dag en daar moest je maar aan wennen.

'Maar alles is voor niks. Kost en inwoning. Arme drommel verdient geld. Waar je vindt dat?'

Zijn bewonderaars begrepen natuurlijk wel zijn argument over kost en inwoning, maar snapten niet hoe een 'arme drommel' geld kon verdienen in een concentratiekamp. Svoboda legde dat ook wel uit, hoewel niet zo simpel als ik hier doe. Zijn gedachtegang was uiterst ingewikkeld, en het kostte zijn vrienden dagen om zijn uitleg te reconstrueren.

Het kamp herbergde een aantal notabelen: schrijvers, wetenschappers, kunstenaars, staatslieden, een voormalige krantenuitgever en de katholieke priester. De gevangenen werden allemaal ingezet om een weg aan te leggen. De eerwaarde – niet de jongste meer – was niet in staat om zijn werk af te krijgen. Hij werd dan ook vaak afgeranseld. Niet al te erg, benadrukte Svoboda, want hij was een oude man en priester. Niet meer dan een tik of twee en een niet zo'n harde trap tegen zijn achterste.

Wat wel hard aankwam, was dat de bewaker de Here Jezus van de priester vervloekte en grievende opmerkingen maakte over de Onbevlekte Ontvangenis. Hij was zo grof in de mond dat de arme, grijze priester zich doodschaamde. Svoboda had medelijden met hem. Dus op een dag vlak na zijn aankomst, toen er geen bewaker in de buurt was, zei hij dat de hijgende, uitgeputte eerwaarde moest gaan uitrusten in de schaduw en dat hij zijn werk wel zou doen. De eerwaarde moest huilen van dankbaarheid. Die avond stopte hij tijdens het avondeten Svoboda een mark toe.

Dat was het begin van Svoboda's succes. De volgende dag pikte hij er een gevangene uit die er nog brozer uitzag, een hoogleraar geneeskunde of zoiets – een jood, hoewel je dat niet aan hem kon zien – en bood hem zijn diensten aan. De hoogleraar gaf Svoboda ook een mark. Uiteindelijk deed hij het werk van drie man, naast zijn eigen werk. Zijn derde klant moest heel rijk zijn geweest, want die gaf hem soms wel twee of drie mark. Svoboda werd al snel een man in bonis. Na verloop van tijd weigerde hij het geld van de eerwaarde, want hij zag dat de oude man nauwelijks genoeg geld voor zichzelf had.

Toch was dat ook niet helemaal zonder eigenbelang. Telkens wanneer Svoboda hem te hulp schoot, zei de eerwaarde: 'God zal je liefdadigheid belonen, mijn zoon.'

Svoboda dacht erover na. Toen de eerwaarde het weer eens over God had gehad, nam Svoboda hem apart en vroeg: 'U denkt ik goed, vader?'

'Nou en of,' antwoordde de priester vol overtuiging.

'U kunt in hemel goed woord voor mij doen.'

Svoboda's gedachte was dat de eerwaarde het niet lang meer zou volhouden in de wegenbouw. Omdat hij toch naar de hemel ging, kon hij die kleinigheid toch wel voor Svoboda doen? Niet dat hij plannen had om binnenkort naar het hiernamaals te vertrekken, maar naar zijn idee moesten 'arme drommels' zoals hij betalen voor hun verlossing door hard te werken, en hoe eerder hij begon, hoe beter.

De eerwaarde had een hart van goud. Toen hij zijn einde voelde naderen, pakte hij zijn antieke zilveren klokje en gaf dat aan Svoboda, die hem vaak het trieste verhaal van zijn blikken uurwerkje had verteld. Svoboda aarzelde om het klokje aan te nemen.

'Dan u niks meer,' protesteerde hij.

Maar de priester stelde hem gerust.

'Mijn laatste uur heeft al geslagen.'

Dat overtuigde Svoboda. Hij wist zeker dat er in de hemel andere manieren waren om erachter te komen hoe laat het was.

Al zijn andere klanten gaven hem ook iets. Iedereen

mocht die grote vent met dat peenkleurige haar, ook al sprak hij geen woord Duits en communiceerde hij met hen alleen in gebarentaal. Ze staken hem van top tot teen in de kleren: schoenen, sokken, ondergoed, een hoed en zelfs een zijden das. Zijn mooie pak had hij van de joodse 'dokter-professor' gekregen.

Alleen de elegante wandelstok was geen cadeau. Vroeg of laat begint het geld te branden in je zak en wil zelfs de grootste vrek er weleens mee smijten. Hij had hem in de stad gekocht voordat hij op de trein stapte.

Toch had hij nog tweeëntwintig mark over nadat hij zijn treinkaartje had gekocht. Dat was de nettowinst die hij kon toevoegen aan zijn driehonderdachttien sokol op de bank. Svoboda had nooit zelfs maar de helft in twee maanden verdiend. Geen wonder dat hij enthousiast was over het concentratiekamp.

Maar het leven zit vol tegenstrijdigheden, ook voor simpele zielen. Enerzijds verlangde Svoboda terug naar het concentratiekamp waar hij zo'n lekker leven had geleid, anderzijds wilde hij niets liever dan teruggaan naar het stadje. Want hij voelde, om het maar ronduit te zeggen, een sterke begeerte naar de weduwe.

'Grappig,' vertelde hij in vertrouwen. 'Je hebt vrouw, je wil niet. Je hebt geen vrouw, je wordt gek.'

Na zijn korte verklaring ging hij rechtstreeks naar het huis van de weduwe en stopte onderweg niet eens om met zijn klokje te pronken. Hij had tijdens de twee maanden in het kamp het verlangen naar haar intens gevoeld en had vaak geprobeerd zich dit weerzien voor te stellen, compleet met de wellustigste details. Met hooggespannen verwachting klopte hij dan ook bij haar aan. De weduwe slaakte een kreet van blijdschap en wilde hem omhelzen. Maar hij kuste haar niet meteen. Hij hief zijn rechterarm op en brulde krijgshaftig: 'Heil Hitler!'

Dat had niet het effect dat hij had verwacht. In plaats van hem om de hals te vallen loerde de weduwe angstig om zich heen en grauwde toen:

'Doe niet zo idioot. Anders denken ze nog dat je het meent.'

'Nou en of ik meen!' brulde Svoboda nog harder, boos vanwege de koele ontvangst. 'Als jij niet leuk vindt, weet je wat je kan! Duitsers zeggen nu zo gedag.'

De weduwe werd nu echt kwaad.

'Moge de duivel iedereen halen die zo gedag zegt,' riep ze.

'Wat?' zei Svoboda. 'Ik kom van ver, duivel mag me halen. Tot ziens in hel!'

Hij draaide zich al om om weg te gaan, maar de weduwe sloeg haar armen om hem heen en huilde zoveel bittere tranen dat het mooie pak van de joodse dokter-professor algauw doornat was.

'Wat is er, Maria?' vroeg hij iets milder, want hij voelde dat ze het moeilijk moest hebben gehad dat ze zich zo vreemd gedroeg.

En dat was ook zo. De arme vrouw zat helemaal aan de grond. De Duitse vuilniswet had haar geruïneerd. Van het afval dat de opkopers voorheen van haar kochten mocht nu niets worden weggegooid. Van de ene dag op de andere was haar bron van inkomsten opgedroogd.

'Ze pikken alles in!' Het steeds terugkerende zinnetje

kwam uit haar mond als een treurig volksliedje. En daarna zachtjes: 'Mogen ze dood neervallen!'

Dat vond Svoboda niet erg. Maar hij zag niet in waarom hij niet de Hitlergroet mocht brengen als hij dat nu wilde. De weduwe probeerde uit te leggen dat de buren razend werden wanneer ze die groet hoorden. Natuurlijk hadden mensen het recht om elkaar te groeten in hun eigen taal, maar al die Duitse verordeningen hadden velen geruïneerd. De bezetting had de inkomsten van iedereen gehalveerd; velen, zoals de weduwe, waren in één klap alles kwijtgeraakt.

'De mensen zijn heel gevoelig voor zulke dingen,' vertelde de weduwe. 'Wanneer ze iemand zien die de Hitlergroet brengend door het stadje loopt, wordt die in het holst van de nacht vermoord. Ik was alleen bang dat jou dat zou gebeuren, liefje van me.'

'Dat is anders,' zei Svoboda en als een grote logge beer streelde hij haar betraande wangen.

Ze had gelijk, vond hij. Het kon echt niet wat die Hitlermannen deden. Maar toch had hij die tweeëntwintig mark wel aan Hitler te danken. Gelukkig was hij niet met de weduwe getrouwd, anders had hij haar nu moeten onderhouden.

Zijn gedachtegang was koel en berekenend, maar zijn hart liep over van medelijden. Hij besloot niet langer op zeker te spelen en zijn tweeëntwintig mark met haar te delen. Met zijn arm om haar middel leidde hij haar naar de slaapkamer.

'Ga zitten als brave meid,' zei hij, en hij nam haar op schoot. 'Geen zorg, Maria. Ik veel geluk.'

'Geluk?' Nu snapte ze er echt niets meer van.

'Ja. Ik verdien geld. Veel geld.'

'Geld? Waar?'

'In 'tratiekamp.'

'Wat?' De weduwe sloeg haar handen in elkaar. 'Grote, slimme man van me! De mensen kunnen van jou nog wat leren, liefje!'

'Nou en of!' Svoboda straalde. 'Hoeveel denk je dat ik thuiskom?'

'Hoeveel?'

Svoboda zweeg even.

'Tien mark,' zei hij ten slotte.

'Goeie god!' riep de vrouw verrukt. 'Tien mark?'

'Klopt,' zei hij triomfantelijk. 'En weet je, Maria, ik geef jou helft.'

Hij stond op. Zijn geld bewaarde hij in een zakje dat om zijn nek hing. Hij draaide zich om zodat ze niet kon zien hoeveel er in het zakje zat en pakte er vijf mark uit.

'Helft van ik verdien,' zei hij en hij gaf haar met een plechtig gebaar het bankbiljet.

De vrouw huilde tranen van geluk.

'Jij bent de beste man ter wereld, liefje van me!'

'Alleen de beste?' vroeg hij quasiverlegen. 'Wie is knapste?'

Om zich door de weduwe beter te laten bekijken draaide hij zich langzaam om. In alle consternatie had ze zijn mooie kleren over het hoofd gezien, maar nu drong pas goed tot haar door hoe verfijnd hij gekleed was.

'Je ziet eruit als een prins, liefje van me!'

Met veel omhaal demonstreerde Svoboda elk onderdeel apart: het zilveren klokje, de wandelstok, de hoed, de zijden das, de schoenen en ten slotte het prachtige nieuwe pak. Vooral het pak kwam uitgebreid aan bod. Hij trok zelfs het jasje uit om de mooie zijden voering te laten zien. En omdat het jasje nu toch uit was, trok hij ook zijn broek uit om haar zijn ondergoed te laten zien.

Toen de weduwe zich weer aankleedde, was het de hoogste tijd voor het avondeten. Ze vergingen allebei van de honger.

De avond was gevallen.

In de keuken brandde de lamp en het licht piepte door de kieren van de deur. Svoboda stak geen lamp aan. Hij lag op bed en dacht nergens aan. Hij hoorde de vertrouwde geluidjes van het klaarmaken van het avondeten. Het was een warme, aangename avond. De weduwe stond zingend te koken. De zoete meilucht dreef door het open raam naar binnen. De maan leek wel een gele cimbaal. En zo ontzettend veel sterren! Het was goed om weer thuis te zijn.

Dat was Svoboda's laatste gelukkige dag.

13
·

Driehonderdachttien sokol

's Morgens ging Svoboda met de resterende zeventien mark naar de bank. De bankemployé die zijn geld aannam vertelde plompverloren dat het ministerie van Financiën van het *Reich* zijn driehonderdachttien sokol had geconfisqueerd.

'Wat zei u?' vroeg Svoboda, overdonderd door het moeilijke woord.

'Ze hebben het ingenomen.'

Svoboda grijnsde. Hij wist dat de mannen hem graag in de maling namen en hij wilde nooit de pret voor hen bederven. Hij hield ook wel van een grapje.

'Waarom innemen?' vroeg hij vrolijk.

De employé pakte er een brief bij. Hij was een mannetje met een gelige, schrale huid. Ze noemden hem Kreukel vanwege zijn vele rimpels. Hij had een heel kleine dopneus. Svoboda kon zijn ogen er niet van afhouden. Net een babyneusje, dacht hij.

Kreukel keek op van de brief.

'Hier staat dat het geld is geconfisqueerd om twee maanden levensonderhoud van te betalen,' zei hij op zakelijke toon.

'Levensonderhoud?' vroeg Svoboda, nog steeds grijnzend. 'Wat is dat, levensonderhoud?'

'Hier staat dat je twee maanden in een concentratiekamp hebt gezeten.'

'Klopt.'

'Nou goed,' zei Kreukel. 'Daarom hebben ze geld ingenomen. Twee maanden levensonderhoud. Kost en inwoning. Begrijp je het nu?'

'Ja, meneer.'

Maar de arme kerel begreep er niets van. Wanneer iemand na vijfentwintig jaar driehonderdachttien sokol bij elkaar heeft geschraapt, zal hij niet in vijfentwintig seconden begrijpen dat de staat zijn levenswerk in beslag heeft genomen. Hij begon te vermoeden dat Kreukel geen grapje maakte. Of toch? Een vage angst bekroop hem. Wat moest hij doen? Hij stond daar maar te wachten met zijn spaarboekje.

Kreukel zat ontspannen achter zijn bureau. Het was nog vroeg, de bank was nog maar net open. Hij geeuwde. Na enig nadenken scheurde hij een blad van de kalender en gaapte peinzend nog een keer. Ten slotte, alsof hij een cruciale beslissing had genomen, pakte hij een thermosfles uit zijn bureaula en schonk een kop koffie in.

Het was een mooie ochtend in mei. De zon scheen door het raam naar binnen en het licht viel precies op Svoboda, wat zijn rode haar in vuur en vlam zette. Beleefd wachtte hij tot Kreukel zijn koffie op had voordat hij weer iets zei.

'Wanneer Duitsers geven terug, alstublieft?'

'Geven wat terug?' vroeg Kreukel, die verbaasd was dat hij er nog stond.

'Mijn geld.'

'Nooit,' antwoordde de oude man en hij zette de fles terug in zijn bureaula. 'Ik heb toch gezegd dat Financiën je geld heeft geconfisqueerd?'

'Ja, meneer.'

'Nou dan.'

Kreukel gaapte nog eens. Na lang nadenken kwam hij weer tot een beslissing. Hij pakte enkele vellen cellofaan van zijn bureau, vouwde ze zorgvuldig in vieren, stak ze in zijn zak en slenterde loom de kamer uit.

Toen hij na tien minuten terugkwam, was Svoboda er nog steeds. Hij stond wat met zijn spaarboekje te spelen, hield het af en toe voor zijn neus, alsof hij het kon lezen.

'Wat nu weer?' zei Kreukel luid. 'Ben je er nu nog?'

'Ja, meneer.'

'Wat wil je dan?'

'Ik wil weten, meneer, hoeveel u geeft, als ik mijn geld opneem.'

Kreukel pakte het spaarboekje en bekeek het.

'Zeventien mark,' zei hij.

'En van driehonderdachttien sokol, hoeveel?'

'Niets,' riep Kreukel. 'Hoe vaak moet ik je nog vertellen dat het geld nu eigendom is van het ministerie van Financiën van het Reich?'

Svoboda dacht erover na. Toen antwoordde hij ongebruikelijk resoluut: 'Kannie, meneer.'

'Waarom niet?'

'Ik geef niet driehonderdachttien sokol aan Reich. Ik

geef driehonderdachttien sokol aan Algemene Spaarbank. Nu ik wil terug.'

Kreukel kreeg er genoeg van.

'Luister eens,' zei hij geïrriteerd. 'Ik vind het sneu dat je geld is geconfisqueerd. Maar als je klachten hebt, moet je daarmee naar het ministerie van Financiën van het Reich. Ik heb daar geen tijd voor.' En hij gooide het loket voor Svoboda's neus dicht.

Enkele minuten staarde Svoboda hem onzeker na. Opeens deed hij iets waar niemand – hijzelf nog het allerminst – hem toe in staat achtte. Hij bonsde met zijn vuist zo hard op de tafel dat de ruiten ervan rinkelden.

'Meneer!' schreeuwde hij. 'Geef geld terug of ik krijg u!'

Nu was ook de interesse van de andere employés gewekt. Nieuwsgierige hoofden staken om de hoek van de deur van de kamer ernaast.

'Luister eens,' riep Kreukel met zijn schrille falsetstem. 'Als je zo tekeergaat, bel ik de politie.'

Op dat moment kwam de directeur van de bank binnen. Hij was een joviale man van een jaar of vijftig, stevig postuur en een krachtige uitstraling. Zijn wangen blaakten van gezondheid, in zijn zwarte borstelsnor zat nog weinig grijs. Hij blies grote rookwolken uit van zijn eerste sigaar van de dag. Iedereen kon zien dat hij goed geslapen had, goed ontbeten en zich prima voelde. Hij klopte Svoboda op zijn rug en gebaarde naar Kreukel dat hij het verder zou afhandelen.

Hij raadde meteen wat er aan de hand was. Hij was nog een jonge kasbediende geweest toen Svoboda zijn eerste spaarcenten naar de bank bracht. Het kapitaal van drie-

honderdachttien sokol was voor zijn ogen bij elkaar gespaard met de centen die Svoboda zich had ontzegd. De directeur stond bekend om zijn verhalen en Svoboda was een
belangrijk onderdeel van zijn repertoire. Hij had een on-
uitputtelijke voorraad verhalen over de simpele ziel en zijn
spaarzaamheid. Hij permitteerde zich natuurlijk wel aardig wat dichterlijke vrijheden, maar er zat altijd wel een
kleine kern van waarheid in zijn verhalen. Hij koesterde
een warme sympathie voor de innemende, goedmoedige
dwaas, ook al wist hij niet of hij nu gek was op de echte Svoboda of op de verzonnen held van zijn verhalen. Hij voelde
met hem mee voor zover een bankdirecteur in goeden
doen dat kon met iemand als Svoboda.

'Kom verder, mijn jongen,' zei hij, en hij liet Svoboda
zijn kamer binnen. 'Ik weet dat je moeilijkheden hebt en
geloof me: ik leef met je mee. Ga zitten.'

Het ontroerde Svoboda dat de directeur zo aardig deed.
Ondanks zijn problemen kreeg zijn goedaardigheid de
overhand bij elk blijk van menselijke warmte. Hij ging beleefd zitten, legde zijn grote rossige hand op zijn knie en
luisterde naar zijn aardige 'edelachtbare' zoals een brave
jongen naar zijn onderwijzer luistert.

De directeur probeerde uit te leggen wat er was gebeurd.
Hij sprak langzaam en geduldig, zoals een onderwijzer brave jongetjes toespreekt. Svoboda begon nu langzaam te begrijpen waarom ze hem naar het concentratiekamp hadden gestuurd en hem zijn geld hadden afgenomen. Zijn
boosheid joeg het bloed naar zijn hersenen en stuwde zijn
begripsvermogen op tot ver boven normaal. Hij herinnerde zich de vreemde gesprekken met Kogelkop, het onder-

zoek bij de plaats delict, de bekentenis van de kolonel die ze hem hadden voorgelezen, en talloze andere gebeurtenissen die hij voorheen niet had begrepen. De vage flarden uit zijn geheugen begonnen samen een beeld te vormen en de arme stakker begreep wat hem was aangedaan. Complot... explosieven... spoorbrug... raasden als sprookjesmonsters door de dikke mist in zijn hoofd.

'Dat kannie!' riep hij verontwaardigd uit. 'Dat is smerige leugen, edelachtbare!'

Zijne edelachtbare twijfelde daar geen moment aan.

'Waarom heb je dat niet tegen de Duitsers gezegd?' vroeg hij.

'Hoe kan ik, als ik niet weet wat ze willen? Denkt u zij dat zeggen?'

Zo ging het nog een tijdje door. Ten slotte raakte het geduld van de directeur op en stuurde hij Svoboda met wat opbeurende woorden en een sokol in zijn vuist weg.

'Ik ben kapot,' mompelde hij. Zijn handen grepen naar zijn hart en langzaam vulden zijn babyblauwe ogen zich met tranen. 'Dit mijn dood.'

Zijn woorden waren goed te verstaan. Voorbijgangers draaiden zich om en sommigen lachten hem uit. Maar Svoboda zag dat allemaal niet. Hij stond midden op de stoep te huilen.

'Dit mijn dood,' herhaalde hij.

Ten slotte liep hij door. Zijn eerste gedachte was om de weduwe te vertellen wat er was gebeurd, maar halverwege de weg naar haar huis bedacht hij zich. Wat kon dat arme mens voor hem doen? Hadden de Duitsers haar ook niet geruïneerd? Zij zou alleen maar gaan huilen, en daar had hij niets aan. Hij moest toch iets kunnen doen, dacht hij. En plotseling wist hij het.

Hij draaide zich abrupt om en rende naar de pastorie. Daar vertelde hij de priester het hele verhaal, maar de eerwaarde, die vaak dineerde met de bankdirecteur, was al helemaal op de hoogte. De priester leefde volledig mee: 'Maar wat kan ik voor je doen, mijn zoon?'

'Vertel, vader,' vroeg Svoboda met klem, 'wat de Heer vindt.'

Die vraag verraste de priester. Eerst wist hij niet wat hij moest zeggen. Daarna sprak hij in algemene termen over de ontberingen van het vlees, de ondoorgrondelijke wegen Gods enzovoort. Maar Svoboda was niet tevreden.

'Vader,' zei hij ernstig. 'Geef crucifix. Ik zweer bij Vader, Zoon en Heilige Geest, ik alle driehonderdachttien sokol verdien met eerlijk werk als goed christen. Ik niet steel, niet bedrieg. Ik altijd goed man. Ik geloof in God. Ik niet doe vlieg kwaad. God moet snel iets, hè vader?'

De priester wist het niet.

'We moeten ons allemaal in de hemel verantwoorden voor onze zonden, mijn zoon.'

'Ook voor mijn driehonderdachttien sokol?'

'Voor alles.'

Svoboda wilde iets concreters.

'Alleen in hemel?'

Nu zat de arme priester helemaal klem.

'Ons leven hier beneden bestaat uit een lange reeks beproevingen,' zei hij ontwijkend. 'Die moeten we met geduld dragen.'

Dat begreep Svoboda allemaal wel, maar hij was nog niet tevreden.

'Vader, alstublieft,' begon hij na lang nadenken. 'Ik kom van ver. U verrast door hoeveel soorten geld daar. In dit land sokol. In Duitsland mark. In andere landen weer anders. Wat goed in ene land, niet goed in andere. Weet u welk geld goed in hemel?'

'In de hemel heb je geen geld nodig, mijn zoon.'

'Ziet u wel!' riep Svoboda uit, zich boos de handen wringend. 'Als God driehonderdachttien sokol teruggeeft in hemel, wat ik moet ermee? Is eerlijk? Ik spaar op aarde waar geld goed. God pakt van Hitler in hemel waar geld niet goed. Klopt dat?'

De eerwaarde was een man met engelengeduld, maar overal zijn grenzen aan. De arme man had ook zijn narigheden. De nazi's pakten de katholieke kerk ook al stevig aan. Loyale christenen moesten nu ware christenstrijders zijn, en de priester deed zijn best. Maar die strijd viel niet mee voor een man van tweeënzestig, vooral niet wanneer zijn gezondheid te wensen overliet. Maar hij was een goed priester en een integere man. Liever een conflict met de autoriteiten dan met zijn geweten. Geen wonder dat hij wel iets anders aan zijn hoofd had dan de problemen van Svoboda.

'Met wat je daar zegt kun je beter naar de politie gaan dan naar een priester,' zei hij ten slotte.

Dat was niets voor de eerwaarde, maar het leek hem de enige manier om de nutteloze discussie te beëindigen. Hij kon niet weten dat Svoboda zijn opmerking letterlijk zou nemen.

Toch was dat precies wat er gebeurde. Toen hij wegging bij de priester liep hij rechtstreeks naar de politie.

'Alstublieft, meneer brigadier,' zei hij. 'Ik heb klacht.'

De brigadier was een vriendelijke, gezette Tsjech. Hij kende Svoboda al langer dan vijftien jaar.

'Wat is het probleem?' vroeg hij. 'Tegen wie wilde je een aanklacht indienen?'

'Hitler,' zei Svoboda kordaat.

De brigadier dacht dat hij hem verkeerd had verstaan.

'Wie?' vroeg hij.

'Hitler!' herhaalde Svoboda. 'Nooit gehoord? Hij besteelt me, de schoft.'

De brigadier moest zo hard lachen dat de tranen over zijn wangen biggelden. Svoboda bekeek hem wantrouwend. Hij begreep niet wat er zo grappig was.

'Waarom vrolijk, meneer de brigadier?' vroeg hij diplomatiek. Hij had geleerd dat je het gezag het best tactvol kon benaderen.

'Omdat ik al vond dat het hoog tijd werd dat iemand het lef had om Hitler aan te klagen,' zei de brigadier.

Svoboda was zeer ingenomen met dat antwoord. Hij kwam iets dichterbij en vroeg op vertrouwelijke toon: 'U ook boos op hem?'

'Dat zou ik denken,' zei de brigadier, die weer in de lach schoot. Deze keer lachte Svoboda met hem mee.

'Dan ik ben hier goed,' concludeerde hij met een schalkse knipoog naar de brigadier. 'We leren hem lesje.'

'Reken maar,' zei de brigadier en hij stond op. 'Ik haal er even wat getuigen bij. Bij zo'n belangrijke aanklacht moet je altijd getuigen hebben.'

Hij ging weg en even later steeg er een oorverdovend gelach op uit de kamer ernaast. Alle agenten die op het bureau waren kwamen met de brigadier mee om getuige te zijn van de uitzonderlijke aanklacht.

Met een uitgestreken gezicht spreidde de brigadier een groot vel papier uit op het bureau voor hem en pakte zijn pen.

'De getuigen zijn allemaal aanwezig,' verklaarde hij plechtig. 'De aanklacht kan ingediend worden.'

Svoboda had geen aansporing nodig. Hij somde zijn klachten een voor een op.

'Het onderzoek zal ogenblikkelijk van start gaan,' zei de brigadier. 'De wet zal met alle middelen tegen deze verdachte worden ingezet. De verdachte zal het complete justitiële apparaat tegenover zich vinden.'

Svoboda voelde zich een stuk beter toen hij het politiebureau verliet.

'Ik leer hufter lesje,' schepte hij op tegen de weduwe. 'Nu hij krijgt verdiende loon.'

Maar de weduwe betwijfelde of dat wel zou gebeuren. Ze was niet veel slimmer dan Svoboda, maar ze was een vrouw. En zelfs een domme vrouw heeft waarschijnlijk meer realiteitszin dan een intelligente man.

Svoboda deed haar pessimisme af als vrouwenpraat.

'Luister, Maria,' zei hij op superieure toon. 'Probleem is: mensen dom. Ze piepen, ze jammeren. Zeggen Hitler pakt dit, pakt dat, maar niemand doet iets. Ik laat zien wat moet doen met Hitler!'

Svoboda had het volste vertrouwen in het uiteindelijke succes van zijn aanklacht. Hij ging twee à drie keer per week bij het politiebureau langs om naar de voortgang te informeren. De brigadier was positief. Het onderzoek verloopt naar wens... Het recht zal zijn loop hebben... Tegen het einde van de week had hij waarschijnlijk meer nieuws.

Op een dag vond er op het politiebureau een klein incident plaats. Het wapen van een jonge agent ging af terwijl hij dat aan het schoonmaken was, met als resultaat een armwond. Dokter Burian ging net weg toen Svoboda binnenkwam om weer naar zijn zaak te informeren.

'Wat kom jij hier doen?' vroeg de arts.

Voordat Svoboda kon antwoorden, nam een van de agenten de dokter apart en vertelde hem stikkend van de lach over Svoboda's aanklacht. De arts zag er de grap niet van in. Hij legde een hand op Svoboda's schouder en schoof zijn goudomrande bril op zijn voorhoofd.

'Je kunt geen aanklacht indienen tegen Hitler,' legde hij rustig uit. 'De heren namen je alleen maar in de maling.'

Dat kon Svoboda niet geloven. Smekend keek hij met zijn babyblauwe ogen naar de brigadier en die moest toegeven dat de dokter de waarheid sprak.

Een geëmotioneerde Svoboda trok een pijnlijk gezicht.

'Klacht kannie?' riep hij verbijsterd uit. 'Hij rooft, hij steelt, hij moordt, en klacht kannie?'

Zijn wereld was ingestort. Hij werd somber en sprak nauwelijks nog een woord tegen iemand. Chagrijnig, verward en achterdochtig doolde hij mompelend door de straten. Dagenlang meed hij het spoorwegstation. Wanneer hij werk aangeboden kreeg, kwam hij te laat opdagen, werkte slordig en maakte er over het algemeen een rommeltje van. Na een tijdje ging hij helemaal niet meer.

'Waarom werken?' zei hij dan nors.

Hij nam de zeventien mark van zijn spaarrekening op.

Toen de directeur vroeg waarom, antwoordde hij korzelig: 'Ik geef uit. Weg ermee!'

Vóór die enorme tegenslag had niemand hem ooit horen vloeken. Nu vervloekte hij voortdurend 'die joodse God van die schoft van een Hitler'. In het concentratiekamp had hij geleerd de joodse God te vervloeken, en omdat hij Hitler haatte, vervloekte hij zijn joodse God.

Hij schoor zich niet meer. Zijn ruige rode baard overwoekerde zijn gezicht. Zijn babyblauwe ogen leken net kinderen die angstig tussen de vlammen door gluurden.

Er waren perioden dat hij bijna elke nacht bij de weduwe doorbracht. Andere keren was hij dagen de hort op, en had de vrouw geen idee waar hij uithing. Op een avond troffen houthakkers hem aan in het bos, waar hij als een dolle beer stond te zwaaien met zijn armen en stond te tieren tegen onzichtbare vijanden.

Aan de rand van het stadje lag een keurig bosperceel. Soms ging dokter Burian erheen om op een vrij moment een wandelingetje te maken tussen de naaldbomen. Op een ochtend stuitte hij op Svoboda, die op een open plek naar de lucht lag te staren.

'Wat doe jij nu hier, Svoboda?' vroeg hij.

Svoboda had een vreemde, afwezige blik in zijn ogen.

'Ik denk,' zei hij ernstig.

'Waar denk je dan aan?'

'De wereld.'

'En wat vind je daarvan?'

'Hij moet verbeterd.'

'Daar bestaat geen twijfel over. Maar hoe gaan we dat doen?'

Svoboda keek de dokter minachtend aan.

'Daar ik denk over,' zei hij somber, en hij liet zich er verder niet over uit.

14
·

Nooit!

Op een dag begon Svoboda op het spoorwegstation met luide stem te schelden op 'Hitlers schofterige joodse God'. De welriekende postbeambte van de exprestrein waarschuwde hem schertsend.

'Ik zou maar oppassen. Hitler komt en dan ben je nog niet jarig.'

Svoboda wierp hem een boze blik toe.

'Hitler komt hier?'

De jongeman knipoogde naar zijn twee collega's.

'Inderdaad,' zei hij. 'Toch, jongens?'

'Ja, hoor,' vielen de anderen hem bij.

'Hij stopt hier?'

'In Praag,' zei de beambte. 'Zijn trein komt hier morgennacht langs.'

'Hoe laat?' vroeg Svoboda.

De drie mannen konden nauwelijks hun lachen inhouden.

'Eén uur 's nachts,' zei de postbeambte.

Svoboda zei niets. Hij verdween zonder een woord te

zeggen. De plaaggeesten dachten dat hij er deze keer niet in was getrapt.

De wegenbouw, die ten tijde van de invasie was opgeschort, was onlangs hervat, en daarvoor waren ook wat explosieven nodig. Uit slordigheid, ongetwijfeld, was een kleine hoeveelheid dynamiet onder de spoorbrug blijven liggen. Die nacht ontplofte die lading dynamiet om precies één uur.

Gelukkig was de hoeveelheid zo gering dat er geen schade was, op een klein scheurtje in een van de brugpijlers na. Het incident werd toegeschreven aan slordigheid – een brandende sigarettenpeuk of een spattende vonk van de Praag-expres. De ploegbaas van de wegwerkers kreeg een berisping en daarmee was de kous af.

Maar dat zogenaamde ongelukje was eigenlijk een poging om Hitler uit de weg te ruimen.

De volgende ochtend verscheen een razende Svoboda in het expreskantoor.

'Waarom jij liegt?' schreeuwde hij tegen de beambte. 'Hitler niet komt!'

In het kantoor steeg een luid geschater op. Sinds zijn terugkeer uit het concentratiekamp hadden ze hem voortdurend in de maling genomen over die springlading die hij zogenaamd geplaatst zou hebben.

'Heb je weer geprobeerd Hitler op te blazen?' vroeg de postbeambte argeloos.

'Natuurlijk,' zei de telegrafist. 'Wie zou anders die explosie vannacht hebben voorbereid?' En hij vroeg op barse toon aan Svoboda: 'Of wilde je dat soms ontkennen?'

'Ik niet ontken niks!' schreeuwde hij.

'Dus je geeft toe dat je het een tweede keer hebt geprobeerd?'

'Tuurlijk! Waarom niet?'

De beambten dachten dat Svoboda een grapje maakte, terwijl Svoboda ervan overtuigd was dat de heren het echt meenden. Hij vond het volkomen logisch dat hij niet was gearresteerd.

'Als zij me arresteren, wanneer ik niks kwaads doe, waarom zij me arresteren wanneer ik kwaad doe?'

Toen dokter Burian twee weken na de mislukte aanslag 's avonds langs het huis van de weduwe kwam, zag hij Svoboda en een andere man op hun buik in de tuin liggen. Ze bestudeerden een vel papier bij het licht van een olielamp. De onbekende was een boer, achter in de veertig. Hij was iets aan het uitleggen aan Svoboda, die ingespannen luisterde. De arts zag in het gele lamplicht de geobsedeerde blik in Svoboda's ogen en dacht dat de arme kerel nu echt gek geworden was.

Het was een zwoele, sterreloze avond. Het moest niet al te ver weg onweren, want de lucht was elektrisch geladen. Impulsief klopte de arts op de deur. Svoboda keek op, maar kon in het donker niemand onderscheiden.

'Maria!' riep hij naar de weduwe, en hij ging verder met het bestuderen van het papier.

De vrouw liet dokter Burian binnen en liep zenuwachtig naar buiten om Svoboda van het voorname bezoek op de hoogte te brengen. Svoboda krabbelde overeind en begroette de arts weinig enthousiast. De weduwe trok zich terug in huis en liet, zoals het een vrouw betaamt, de mannen alleen. Er hing een gespannen stilte.

'Volgens mij gaat het regenen,' zei de onbekende.

De olielamp die nog steeds in het gras stond, verlichtte het vel papier.

'Wat is dat?' vroeg de arts.

'Een plan,' zei Svoboda met tegenzin.

'Wat voor plan?'

Svoboda zei niets, maar zijn metgezel verklapte het.

'In de oorlog heb ik bij de genie gezeten. Ik legde net mijn vriend hier uit hoe we bruggen opbliezen wanneer de vijand ons achternazat. Hij wilde graag weten hoe we dat deden.'

De dokter begreep onmiddellijk dat Svoboda een nieuwe aanslag wilde plegen en zei dat ook tegen hem zodra de genieofficier weg was. Hij deed geen poging om het te ontkennen.

'Zowaar ik leef, ik blaas schoft op!'

De aderen op zijn voorhoofd waren gezwollen. Hij pakte de tekening van de genieofficier en hield de lamp erbij.

'Nu ik weet hoe!'

'Daar krijg je moeilijkheden mee,' zei de arts. 'Ze stoppen je in het gevang.'

Svoboda wuifde die opmerking weg.

'Ik niet!'

'Waarom niet?'

'Ik was in 'tratiekamp. Niemand straft twee keer voor één ding. En brug is van mij!'

'Van jou?'

'Ja, ik betaal driehonderdachttien sokol. Ik doe wat ik wil met brug.'

Svoboda kwam iets dichter bij de arts staan, anders kon de weduwe hem horen.

'Als politie niet helpt, God niet helpt, help ik mij!' zei hij langzaam met gedempte stem. Zijn ogen fonkelden angstaanjagend.

'Doe niet zo dwaas, Svoboda,' zei de dokter. 'Je bent maar driehonderdachttien sokol kwijt. Denk eens aan wat ze anderen hebben ontnomen: de levens van honderdduizenden, de vrijheid van miljoenen, de vrede van de hele wereld.

'Dat anders,' zei Svoboda met diepe minachting. 'Dat anders.'

'Hoe bedoel je?'

'Wereld niet is van mij, driehonderdachttien sokol wel. Hele wereld zo stom, hem maar laten, dat hun zaak. Ik niet laat hem! Snap? Ik niet!'

Hij bewoog zijn reusachtige eeltvinger driftig heen en weer onder de neus van de dokter.

'Nooit!' schreeuwde hij, rood aanlopend. 'Nooit! Nooit! Nooit!'

Hij wilde nog iets zeggen, maar hij hield zich in omdat de weduwe naar buiten kwam.

'Het regent vanavond,' zei hij luid, en hij gebaarde de dokter te zwijgen waar de vrouw bij was.